一言堂

一言堂

中醫是個好東西

有療效才是硬道理

該書涉及中醫基本理論中的陰陽五行、臟腑經絡、病因病機、症狀診斷及疾病防治。

中醫藥學是中華文化的瑰寶，但由於理論的深奧和玄妙感，真正認識中醫藥學的現實價值和科學性的人很少。怎樣讓世人瞭解中醫、讓更多的人接受中醫？作為中醫工作者，我們有責任、有義務廣泛宣傳中醫藥知識，本書就是面向各個階層受眾，立足於學術普及，走出學術殿堂，拋卻中醫理論本身的晦澀與玄妙，以輕鬆活潑的筆法，淺顯的解讀，「啟動」中醫傳統的理論，讓他進入大眾生活。

王興臣■主編

編寫說明

近年來，中醫藥在國際社會上的地位逐漸提高，但是相對西醫的發展而言，中醫藥自身的發展卻很緩慢。不時有人對中醫藥的科學性和研究價值提出質疑，公開提出「中醫能治好病也是偽科學」、「中醫藥是最大的偽科學」、「中醫是巫術，應予取締」等等。

然而，在國內有人對中醫提出這樣那樣質疑的同時，中醫卻在走向世界。先是針灸熱，然後是中醫熱，許多發達國家逐步承認中醫師的專業地位，針刺治療早已納入某些國家的醫療保險系統。在倫敦排隊看中醫，德國人預約住中醫院，已不是奇聞。這就應了「貓論」認識觀在醫藥衛生領域的一句老話，就是「不管中醫西醫，治得好病就是好醫」。因此，我們希望能夠從更廣泛更現實的意義上看待中醫藥的科學性問題，「有療效才是硬道理」。

中醫藥學是中華文化的瑰寶，但由於理論的深奧和玄妙感，真正認識中醫藥學的現實價值和科學性，不是一件容易的事。怎樣讓世人瞭解中醫、讓更多的人接受中醫？作為中醫工作者，我們有責任、有義務廣泛宣傳中醫藥知識，這本書就是面向各個階層受眾，立足於學術普及，走出學術殿堂，拋卻中醫理論本身的晦澀與玄妙，以輕鬆活潑的筆法，淺顯的解讀，「啟動」中醫傳統的理論，讓他進入大眾生活，就像剝去核桃外面堅硬的外殼，呈現在讀者面前的是可以直接品嚐的果仁。

該書涉及中醫基本理論中的陰陽五行、臟腑經絡、病因病機、症狀診斷及疾病防治。每一部分內容自成章節，每一章節以樸素直白的語言為標題，雖然不能面面俱到，但基本涵蓋了中醫基礎理論所要表達的核心知識。以往業內專家做學術普及往往過於拘謹，唯恐理論觀點有些閃失，引來同行的批評和恥笑。該書沒有顧忌這些，在演繹發揮的過程中，以忠於中醫科學為原則，同時盡情揮灑自己的學術素養和水準，也算是中醫講壇的一次新嘗試吧。

本書的作者都是多年從事中醫工作的專業人員，包括教授、副教授、博士、碩士，期望以一種簡單的方式使讀者認識中醫，讓更多的人瞭解中醫，熱愛中醫，振興中醫！由於時間倉促，水準有限，難遂眾願，敬請讀者諒解，並提寶貴意見。

王興臣於泉城曆山下

目錄
Contents

陰陽其實不神秘　18
一、天地萬物，不外陰陽……19
二、陰陽魚：陰陽關係的「模型」……22
三、「陰陽」是中醫的說理工具……26

從「買東西」而非「買南北」說起中醫五行　32
一、「火旺爍金」，「續水回春」……33
二、五行是什麼？怎麼來的？……34
三、五行解釋醫學現象……36

「此臟腑」非「彼臟腑」　40
一、中醫偏重於功能，西醫是解剖臟器……40
二、中醫臟腑有「表裏」……42
三、一個臟器具有多方面的生理效能……45

四、一種生理活動，多臟器參與完成……48
五、站得高才能看得遠……51

誰主神明 54

一、中醫所說的神明……54
二、腦為精明之府……55
三、腦主管特殊感覺……57
四、「心主神明」的由來……59
五、得神則康，失神則亡……61

傷心也傷肝 62

一、七情六慾，人之常情……62
二、情緒主宰人的健康……63
三、肝主疏泄與情緒最密切……64

目錄 Contents

四、傷心時候不只傷肝……66

酗酒傷肝更傷脾 68
一、有句俗話叫「飲酒傷肝」……68
二、酒食不節制　傷脾又傷肝……70
三、飲食貴「合時有節」……71

夜生活過多傷肝腎 78
一、紛繁的世界「食、色、性」……79
二、乙癸同源……80
三、房事合理，固本強身……83
四、禁慾有害於健康……86

從生活中的現象說肺與腎 90

一、吐故納新，管理呼吸……90
二、翻雲覆雨，疏導水液……91
三、相傳之官，治節出焉……93
四、腎為先天之本……95
五、調腎關乎根本……99

舉一反三話「三焦」 102

一、三焦有名有形有用……103
二、上、中、下焦，各司其職……106
三、三焦辨證統領熱病防治……109
四、「知法善任」治三焦……112

目錄
Contents

「無線自通」的「經絡」 116
一、經絡是古人標記的助記線……117
二、人體經絡系統……119

人爭一口「氣」，「氣」是什麼東西 124
一、正常的「氣」……125
二、氣的運行……127
三、氣的病理變化……128

血汗同源 130
一、感冒鼻衄莫驚慌——不得汗解，必得衄解……130
二、汗是心液，印證「心功能」……133
三、津血同源與血汗同源……135
四、大出血又冷汗——不可掉以輕心……138

「增液行舟」話津液 142
一、增水行舟，水乃津液 …… 143
二、人體就像泉眼，津液不斷湧來 …… 144
三、萬涓成水，津液匯流成河 …… 146
四、天地合參，津液流通效法自然 …… 149
五、龍王爺做法——旱澇不均 …… 152

痰為百病之母 160
一、從「蔡京貴壓朝班」到「範進中舉」 …… 160
二、「痰」分有形和無形 …… 162
三、「九竅不通」與「痰迷心竅」 …… 167
四、痰病雖怪，治痰有方 …… 169

目錄
Contents

見微知著，從外窺內 172
一、扁鵲見齊侯，望而斷生死……173
二、今人治手麻，飲茶病自痊……175
三、人身是整體，「拆零」就「失真」……176
四、「左右逢源、上下貫通」是上工……179

「舌是心苗」看全身 182
一、舌診是中醫的傳家寶……182
二、三寸之舌毛巧多——舌和臟腑的對應關係……183
三、能說會道有資本——舌的結構與生理功能……184
四、察舌驗苔要仔細，寒熱虛實有道理……186
五、四診合參，方寸不亂……199

脈診神功 202
一、「懸絲診脈」暗藏玄機 202
二、診脈有理 204
三、診脈有道，虛靜為保 206
四、憑脈辨證 211
五、心中了了，指下難明 214

「面若桃花、掩口輕咳」是病態美 218
一、陰陽失衡，水火不濟 219
二、五臟之陰均有虛 220
三、先天、後天都傷陰 222
四、林黛玉是肺腎陰虛證 223
五、藥食並舉，滋陰降火 224

目錄
Contents

胖人多痰，瘦人多火 226
一、同在藍天下，人有千差萬別……227
二、高矮胖瘦強弱從何來……228
三、看看你是哪種體質……234

正氣存內　邪不可干 242
一、我們為什麼會生病……243
二、誰干擾了我們的正氣……246

是藥三分毒 266
一、關於「病」與「不病」的對話……267
二、靠補藥養生是誤區……269
三、順應自然才是養生之道……271

瀉火與消炎 280
一、火氣是什麼……280
二、上火有多種「滅火」要對症……282
三、陰火最特殊——火在上，寒在下……284

治病之矛——中藥 290
一、神農嘗百草，日遇七十毒——本草之源……291
二、「長生不死」催生煉丹術……293
三、「藥食同源」孕育食療……295
四、寒熱溫涼，有的放矢……296
五、是藥三分毒，中藥不例外……299

中藥「道地」很重要 302
一、道地藥材負盛名……302

目錄
Contents

二、道地藥材採靈氣……304
三、好山好水出好藥……308
四、天南海北蘊藏道地……313

中醫是寶，救急離不了　316

一、橫貫古今，出奇制勝……317
二、針、藥、熨、刮，辦法多多……324
三、辨證論治與綜合治療仍是根本……331

陰陽其實不神秘

陰陽本是古人從大自然那裏獲得靈感與啟示，總結出來的一對概念，它滲透進中國傳統文化的各個方面，至今我們能夠感覺到它的存在。現代人對陰陽理論研究很深，以至於和普通百姓越走越遠。

陰陽本是古人從大自然獲得靈感，總結出來的一對概念。正由於它是一對抽象的概念，所以往往給人以神秘感。其實，如果我們回到那些與陰陽有關的具體事物中去細細體味一下，就會發現陰陽其實並不神秘。比如，幾千年傳承下來的「農曆」我們叫「陰陽曆」，許多地方的名字如湯陰、平陰、信陽、岳陽等一直使用著「陰」和「陽」。我們的祖先把陰陽借用到醫學中解釋深奧的醫學道理，可見，它離我們的生活並不遙遠。

一、天地萬物，不外陰陽

（一）日月高懸，陰陽之意自明

古老的神話裏，在有天地之前，我們的宇宙是一片混沌。自從盤古開天地，就有了天陽、地陰之分。但陰陽的發展遠超出了神話，它與祖先的生活息息相關，先民們在長期生活生產實踐的觀察和體驗中，發現自然界存在著許多既相關、又屬性相對的事物或現象，如：男和女、冷和暖、明和暗等等。其中，最顯著的就是向日與背日所造成的種種性質迥異的現象和特點。因此，從中悟出了自然界的某些奧秘，並萌生了「陰」與「陽」的初始含義。

「陽」指向日所具有的種種現象與特點，「陽」字的象形意是山阜朝向太陽(日)；「陰」則相反，是從背日所具有的種種現象和特點中抽象而來的。《說文解字．串部》釋「陰」為：「山之北、水之南也。」《詩經》裏說「湛湛露斯，匪陽不晞」，這句詩的意思是說，露水不被太陽照著就不會乾，可見陽是陽光照射到之意；「芃芃黍苗，陰雨膏之」，陰就是陽光被遮蓋，也就是陽光照射不到之意。可見，「陰陽」一詞的產生，來源於古人對自然現象或事物的直接觀察，本身並非玄而又玄。也不是哲學家在書齋裏做學問想出來的哲學概念，並不具有什麼哲學意義。

（二）陰陽應象

隨著人類對事物的觀察範圍不斷擴展，陰陽的涵義也逐漸得以延伸。古代哲賢從「向日」、「背日」這一初始的陰陽含義展開，通過取象比類，也就是打比方的方法，把陰陽進一步推衍、引申，將所有與「向日」特徵相類似的事物或現象都歸屬於「陽」；而把所有與「背日」特點相類似的事物或現象都歸屬於「陰」。實際上這就是「陰陽應象」理論。「應」是相應、相合的意思；「象」是指自然界事物或現象的外在表象或徵象，陰陽應象即是說，自然界的事物或現象都有一定的表象或徵象，這種表象或徵象是和陰陽相應的。

如：就氣溫而言，炎熱、溫暖為陽，涼爽、寒冷為陰；就晝夜而言，白晝為陽，黑夜為陰；就氣候而言，晴朗為陽，淫雨為陰；就季節而言，春夏為陽，秋冬為陰；就上下而言，上部為陽，下部為陰；就水火而言，火為陽．水為陰；就方位而言，東南為陽、西北為陰；就動靜而言，運動為陽，相對靜止為陰；就物質形態而言，氣態為陽，液態、固態為陰。

（三）陰陽無限可分

陰陽可以指任何實體，但是尋找一種實體用以定義陰陽是不可能的，因為陰陽可以概括實體，而實體卻不能概括陰陽。

就形質與功能而言：功能為陽，形質為陰。如此不斷引申的結果，就幾乎把自然界所有的事物或現象都劃分為陰或陽兩個方面，並用以分析和推論一些不能直接觀察或難以理解的事物與現象。這時陰陽已演變成為一個抽象的概念，用以概括自然界中具有對立屬性的事物或現象，具有哲學上對立統一的意義。

陰陽由具體的事物，變為抽象的概念，機動的代名詞，有名而無形，可以代表相互對立的兩個事物，也可以代表一個事物內部相互對立的兩個方面。所以說：「陰陽者，有名而無形，故數之可十，離之可百，散之可千，推之可萬」（《靈樞・陰陽系日月》）。

（四）陰陽滲透進其他領域

此後，人們試著用陰陽來說明解釋自然界的一切變化現象，涉及天文、曆法、數學、政治、軍事、農業、地理、氣象等各個領域，並由此創立了中華燦然文化和輝煌的科技成就。

譬如濟南、濟陽兩地名即是借陰陽之意而來。很早以前黃河自河南過臨清經天津入海，清初黃河大堤決口，原河道壅塞改道成今天的途程。如今黃河流經的山東段古代稱之為濟水河（又叫大清河），濟南位於濟水之南得名，濟陽位於濟水之北得名，可見，陰陽也滲透在地理命名領域。

二、陰陽魚：陰陽關係的「模型」

現代企業家們經營靠品牌，古老的祖先傳承文化和技藝依靠招牌。俗話說，敲鑼賣糖，各幹一行，聽吆喝、看店前的招牌就知道所經營的行當。太極圖被稱為「中華第一圖」，就是我們中醫陰陽學說的「金字招牌」。

從孔廟大成殿樑柱，到樓觀台、三茅宮、白雲觀的標記物；從道士的道袍，到算命先生的卦攤；從中醫、氣功、武術及中國傳統文化的書刊封面、會徽會標，到韓國國旗圖案、新加坡空軍機徽等等，太極圖無不躍居其上。這種廣為人知的太極圖，其形狀如陰陽兩魚互糾在一起，因而被習稱為「陰陽魚太極圖」。

最有名的是朱震的論述：「陳摶以先天圖傳種放，放傳穆修，穆修傳李之才，之才傳邵雍。」（《漢上易傳・進易說表》）這段說的是發現太極圖後的傳承，陳摶↓種放↓穆修↓李之才↓邵雍，這些人都是有學問的大師。現在看到的太極圖就是北宋偉大的哲學家，社會名流，人稱「安樂先生」的邵雍（諡康節）承受於名儒李之才後，「探賾索隱，妙司神契，洞徹蘊奧，汪洋浩博」，視如神圖的陰陽魚。由於宋代活字版印刷術的發明，太極圖得以廣為流傳。

太極圖是研究易經原理的一張重要圖形。太是至，極是限，太極就是「至於極限」，按俗話說就是「蓋帽了」、「絕了」。它既包括了至極之理，又能解釋自然界中的萬象，其意義在流傳中不斷精煉抽象，難怪至今為人頂禮膜拜。

從圖我們很容易理解為何百姓把太極圖也叫陰陽魚了。一目了然，太極圖就是兩條「黑白顛倒」的小魚。白魚表示為陽，黑魚表示為陰。可不要小看這兩條小魚，仔細端詳，白魚中間一黑眼睛，黑魚之中一白眼睛，它代表陽中有陰，陰中有陽，這叫陰陽的依存互根。中醫學有「陽根於陰，陰根於陽。」意思是說，陰陽互以對方為存在的前提，即沒有陰，陽就不能存在；沒有陽，陰也不能存在。換言之，沒有上無所謂下，沒有男無所謂女，沒有熱無所謂寒。所以《內經》說：「陰在內，陽之守也；陽在外，陰之使也」；「孤陽不生，獨陽不長。」

「易」為日月，「易」為陰陽，「太極圖」就是一個「易」——日月、陰陽的代表符號。陰陽是由日月代表的。《易傳》提出「一陰一陽之謂道」，是說陰陽的運動法則是宇宙的變化規律。那麼這個規律有什麼特點？

黑白兩方的界限以s形曲線為隔，這表示任何矛盾的雙方相依相存，相互對立，誰也離不開誰，而且成複雜的形勢，並非直線型那麼簡單。當一方推進時另一方必然後退，反之亦然。兩個矛盾的東西總是此長彼消，糾結在一起。這在中醫的陰陽說中叫陰陽的消長轉化、互相滲透。也就是「陽消陰長，陰消陽長」，這是一切事物運動發展和變化的過程。如四季氣候變化，由夏至秋到冬，氣候由熱轉涼至寒，是一個「陽消陰長」的過程；由冬至春到夏，氣溫由寒轉暖至熱，是一個「陰消陽長」的過程。四季有了寒熱溫涼的變化，萬物才能生長收藏。

就兩條「魚」的眼睛來看，意味著宇宙中沒有完全純的陰，也沒有完全純的陽，而且陽中有陰，陰中有陽。陰與陽不僅是互相補充，而且在內部是相互依存的。陰影響陽不僅從外部而且亦從內部影響，反之陽也以同樣的方式影響陰，這就是相互滲透。換句話說，在靜止中有活動，在虛弱中有力量，在差異中有團結，在失敗中有成功，在犧牲中有生命。

圖中所謂魚形，當白方變大時，黑方必然縮小，反之亦然。白中黑點必處於白之最大值，即當一方達到一定發展程度時，其內部必然產生相反的因素，物極必反，陰陽的消長轉化就是這個道理。就像高燒的病人突然體溫下降、面色發白、四肢冰冷，我們說這是病情急劇惡化，由陽證發生質變成為陰證，也叫「熱極生寒」、「重陽必陰」，預示疾病兇險。

太極圖黑白相間、首尾糾合，正是陰陽聯繫的方式：對立統一、消長轉化、互根互動理念的最佳圖示。

所以說，陰陽並不只是中醫才有，稱其為「玄學」顯然是一種偏見。大約在春秋戰國時期，古代醫學家把陰陽學說應用到醫學方面，用以解釋生命的種種現象和疾病的複雜變化。

三、「陰陽」是中醫的說理工具

中醫學對陰陽的解釋是：凡是明亮的、溫暖的……都是陽；凡是黑暗的，寒冷的……都是陰。顯然，陰陽既可實，又可虛。似乎什麼都是陰陽，陰陽又什麼都不是，使人感到陰陽玄虛莫測，但是臨床診治又離不開明陽。難以捉摸的東西卻施之有效，使人感到不可思議。其實中醫借用陰陽學說作為方法論解說醫學道理，使古代醫家的困惑渙然冰釋，就像沉醉的人兒一覺醒來。所以《內經》說：「明於陰陽，如惑之解，如醉之醒」。

（一）說結構和生理

對人體結構的陰陽屬性分析，大體上是根據上下、內外等來分析。如以人體而言，腰以上為陽，腰以下為陰；體表為陽，體內為陰；六腑為陽，五臟為陰；五臟中以心肺為陽，肝脾腎為陰等。腰以上為陽，故風熱陽邪多從上受；腰以下為陰，故寒濕陰邪多從下受。體表為陽，故六淫之邪多從外受；體內為陰，故飲食勞倦七情等邪皆從內受。六腑為陽，故六腑的功能以傳導化物為主，以通為用，六腑之病多屬熱證、實證；五臟屬陰，故五臟的功能以貯藏精氣為主，以藏為用，五臟之病多虛證、寒證。心肺為陽，一屬火一主氣，而主氣血，故心肺之病可見陽熱之證；肝脾腎屬陰，而主精血，故肝脾腎之病更多見到的屬虛證，或為寒證。

由於人體組織結構的陰陽屬性不同，因而在生理上及病理上均有差別，為臨床的診斷和治療提供了依據。

說到生理，我們自然要強調陰陽的平衡。平衡是維護事物穩定的一種基本方式，如生態平衡；而陰陽之氣的平衡是生命健康的基本條件。在《黃帝內經》中就有「平」的概念，所表達的就是平衡理論。如「夫陰與陽俞會，陽注於陰，陰滿之外，陰陽均平，以充其形，九候如一，命口平人。」陰經和陽經在俞穴交會，氣血在陽經充盈後就注入陰經，在陰經中充滿後又外溢於陽經，這樣陰經和陽經內的氣血都均勻而平衡，以此來充養人身，人身得到氣血均勻的充養，各部的功能正常，所以三部九侯的脈象都是一樣的，沒有偏盛偏衰的現象，這樣的人就稱為「平人」。

（二）講解邪氣和疾病

人是一個生命體，由於受外部因素和內部因素的影響，陰陽兩個方面是相互消長的，即處於動態變化之中。這樣，到一定的時候，原有的平衡便會被打破，人體也就會生病。也就是說，陰陽的平衡和協調是中醫生理學理論的基礎，是維持人體正常生理功能的先決條件；而陰陽平衡的喪失，陰陽失調則是中醫病理學的基石。

總的來講，中醫把人體的抗病能力叫正氣，致病因素稱邪氣。用陰陽把邪氣分為兩類。《素問・調經論》說：「夫邪之生也，或生於陰，或生於陽。其生於陽者，得之風雨寒暑。其生於陰者，得之飲食居處，陰陽喜怒。」致病的氣候因素風、寒、暑、濕、燥、熱屬於陽邪，生活方式和感情方面的致病因素屬於陰邪。陰陽之中複有陰陽，六淫之中，風、暑、燥、熱為陽；寒、濕為陰。

又以陰陽之間的關係解釋發病，如「陰盛則陽病，陽盛則陰病。」講的是陰陽平衡失調而發病。在疾病的過程中，還可以引起陰陽間的制約發生障礙，導致陰陽消長的異常，這就加重了陰陽的失調，當陰陽消長達到一個極限的水準時，就可以引起陰陽的轉化。《素問・陰陽應象大論》說：「重寒則熱，重熱則寒。重陰必陽，重陽必陰」。說明了寒甚之極，可以出現熱象；熱甚之極，也可以出現寒象，甚至熱證還可以轉化為寒證；虛證之極可以出現實象，實證之極可以出現「虛象」。這些都是由陰陽轉化引起來的。當然，還有許多內容，不勝枚舉。

（三）做診斷、測預後

前面已經說過疾病發生的根本原因是陰陽平衡失調，因此，任何病症，不管有多複雜，表現千變萬化，但都可用「陰證」和「陽證」來概括。正確的診斷首先要分辨體征的陰陽屬性，進而對人身陰陽作出判斷。

所以《內經》說：「善診者，察色按脈，先別陰陽。」

先別陰陽，可以有兩層含義：一是辨別症狀的陰陽屬性，二是辨別陰證陽證。

辨別症狀的陰陽靠四診，一是根據色澤的明暗來分辨陰陽，色澤鮮明者病在陽，多為實證、熱證；色澤晦暗者病在陰，多為虛證、寒證。二是從聲音來辨別陰陽，聲音高亢洪亮，多言躁動，多屬實證、熱證；聲音低弱無力、少言安靜，多屬虛證、寒證。三是從脈象中來辨別陰陽，凡是浮大數洪之脈為陽；凡是沉細遲弱者為陰。在四診中辨別陰陽，就為辨別陰證和陽證提供了依據。

在辨證時，首先是進行「八綱辨證」，即辨表裏、虛實、寒熱、陰陽。其中陰陽是總綱，表裏是辨病位，寒熱是辨病性，虛實是辨邪正的相互狀態。辨疾病的部位，即辨疾病是在表還是在裏，或在何髒何腑；辨疾病的性質，即是辨病證的屬性，是寒、是熱，是燥，是濕；辨邪正相互的狀態，即是辨別屬虛、屬實，以及虛實的多少。以上辨別明確後，凡屬表證、熱證、實證即為陽證；裏證、寒證、虛證為陰證。

（四）是治病用藥的依據

由於陰陽失去平衡是疾病發生、發展的根本原因，因此調整陰陽，恢復陰陽的相對平衡就是治療的最基本原則。陰陽不足則補陰陽，陰陽偏盛則瀉陰陽；陰陽亡失就急救固脫，陰陽格拒則交通陰陽。

譬如，某些病態賓房結綜合征表現為怕冷，四肢發涼，舌體顏色淡，脈搏跳動緩慢就屬於陽虛，可給於乾薑、附子類藥物補陽；而某些肺結核病人面紅，手心熱，舌體瘦而紅，脈搏無力、跳動快則屬於陰虛，可給予地黃、天冬等藥物補陰。相反，怕熱、口渴、脈搏快而有力，屬陽盛，就要用黃連、黃芩瀉火。

並且還反覆告誡醫生用藥應考慮季節：「用寒遠寒，用涼遠涼，用溫遠溫，用熱遠熱。食宜同法。」一般而言，春夏屬陽，不宜用陽性辛溫藥；秋冬屬陰，慎用陰性寒涼藥，要隨氣候的屬性服藥。

陰陽用於解說治病，不僅用於講治法，還概括藥性和五味。它把藥性分為陰陽兩大類，寒涼為陰，溫熱為陽。五味之中，「辛甘發散為陽，酸苦湧泄為陰，鹹味湧泄為陰，淡味滲泄為陽。」像薄荷、蘇葉、荊芥味辛，發散外邪，就屬陽藥；烏梅、五味子酸味、收澀，屬於陰藥。治病要根據陰陽的偏盛、偏衰，結合藥物的陰陽屬性和作用，選擇使用相應的藥物，才能達到治療的目的。

從「買東西」而非「買南北」說起中醫五行

「五行」一詞，不僅常見於我國古代文獻中，而且常為今人所談及。按理說，其本義是該早就澄清了的，可是不然。

說過陰陽，再論五行。「五行」一詞，不僅常見於我國古代文獻中，而且常為今人所談及。按理說，其本義是早該澄清了的，可是不然。我們還是從一個典故說起吧，就像大紅「喜」字源於王安石一樣，「買東西」的解密也是這位老夫子。有次上朝，路遇提籃購物者問曰：何往？答曰：買東西。「為何買東西不買南北？」購物者啞然。王安石囅然一笑答：「東通於木、西屬金、南為火、北為水、中間是土，提籃金木能盛，水火土不能盛也，故曰買東西。」當然，這有些調侃，但現實生活中五行學說的應用隨處可見。

一、「火旺爍金」，「續水回春」

曾遇到一位結核性胸膜炎病人，夜間睡眠易醒，盜汗、自汗，半身無汗，五心煩熱，頭暈眼花，耳鳴，乏力，記憶力減退，每易激動興奮。時有胃痛，饑餓時最容易發作，進食可緩解，發作時食量減少、大便稀溏。有時乾咳無痰，有時痰稠如膿樣，有時痰中帶血，有時痰色粉紅。舌色偏紅，舌苔薄白，脈弦細帶數。看上去症狀複雜，涉及呼吸、消化、神經系統。但中醫從整體觀念入手，將失眠、出汗、胃痛、咳嗽有機的聯繫起來。

這一病變，病根固然在肺，肺有痰熱，灼傷脈絡，肺失清肅，氣陰俱虛，但病情不限於此。失眠、心煩、激動是心火旺的表現，火旺爍金，也是咳血的原因之一。頭暈、耳鳴、盜汗，是肺腎陰虛，陰虛火旺。按五行學說，可稱「子盜母氣。」如果腎水不足則腎火不清，腎火不清則肺熱難消，肺熱不消則痰血難愈。上腹痛、大便稀、食少是脾胃氣虛，土不生金，是生痰的主要原因之一。給予瀉白散合二至丸、交泰丸取得了意想不到的效果。

這個病例應用了五行學說分析病情，言之成理，給我們的啟示很多。

二、五行是什麼？怎麼來的？

五行學說認為，宇宙間的一切事物都是由五行的演化而產生的，事物之間存在著互相制約和互相主張的關係，從而維持動態的平衡，並產生週期性變化。

從「五材」到「五行」——「五行」概念是古人在生活中形成的。古代先人發現，木、火、土、金、水這五種物質，是人們生活所不可缺少的，於是產生了五材的概念。《左傳》說：「天生五才，民並用之，廢一不可」。自然界給我們產生的五種材料，老百姓都加以應用，缺少一樣也是不行。《尚書》也說：「水火者，百姓之所飲食也；金木者，百姓之所興作也：土者，萬物之所資生也，是為人用。」

木、火、土、金、水是人們生活所必需的，人們日常的用具是由這些物質削成的。如生活中用的瓦罐，就是用土加水製成後，再用火燒制而成。房屋就是用木、土、水三者製成。打獵或耕作用的工具，則是由木和金製作而成。古人進一步推想，自然界的萬物也是由這五種基本物質構成的。正如《國語》所說：「故先王以土與金，木與水、火，雜以成百物。」古代「聖賢」把具體的物質概括出了一種抽象的屬性，所以《尚書‧洪范》說，水具有滋潤和下行的特性，火具有溫暖和上升的特性，木具有曲直生長的特性，金具有容易變化的特性，土具有生長莊稼的特性。從五種物質中概括出它們的特性，作為木、火、土、金、水的涵義，這樣，「五行」就由具體的物質變成只表示這五種屬性的抽象概念。

到這時候，哲學上的「五行」概念才算初步形成。「五」是指木、火、土、金、水這五種屬性。「行」是這五種屬性間運動變化的規律性，五行學說認為，世界上的事物或現象，其內部都包含有木、火、土、金、水這五種屬性，這五種屬性間的相互關係(即相互的聯繫方式和運動狀態)決定了事物或現象的發生和發展；事物或現象之間的差異性，就是由這五種屬性間的運動狀態所規定的。

到了戰國末期，經過鄒衍「推演五行」，把精氣學說、陰陽學說和五行學說融為一體，創立了陰陽五行學說，這才使五行學說的理論更為完善。

三、五行解釋醫學現象

幾乎無人否認，我國古代醫學理論體系的形成，是在五行學說的滲透下實現的。這方面的代表文獻是《黃帝內經》。《黃帝內經》以前，尚未見有與五行學說相結合的醫學體系出現。只有到了戰國秦漢時期，由於五行學說籠罩了當時社會的各個領域，人們才將五行學說引進醫學，解釋人體的生理、病理、治療和養生，從而創立了一個頗具特色的醫學體系。

（一）天人相應成一體

五行學說把人體的結構與功能分屬於五行，又將自然界的五季、五方、五時、五氣、五味、五色等也分屬於五行，通過五行把自然界和人體統一氣來，成為一個整體。使「天人一體」、「天人相應」的理論得到了具體的表達，為醫學的整體觀念提供了理論依據。

建立整體觀為主的理論，目的是解釋醫學中的某些現象。前面已經涉及到臨床的許多內容不再贅述，現以金木土三者之間的關係來說吧：木性曲直，性喜舒展，有生髮的特性；肝與木氣相通，故肝喜條達，主疏泄，主升。土性敦厚，生化萬物，主長養變化；脾與土氣相通，主運化水穀精微，為後天之本，生化之源。金性清涼潔淨，主肅降收斂；肺通金氣，主呼吸，司清濁之交換，其氣下降。人在郁怒時食慾不佳、甚至嘔吐，這叫肝氣乘脾犯胃，也就是木克土；三國時代的周瑜大怒吐血是肝氣犯胃的典型事例。《金匱真言論》說：「五臟應四時，各有收受」，如肝氣旺於春，東方通與木，所以肝病多在秋季加重。像肝硬化、肝癌患者存亡關頭，民間常以中秋節為界，實際上有肺金克肝的緣故，也就是金克木。另外有人生氣時還表現為頻頻咳嗽、面紅耳赤，中醫則稱之為木火刑金，屬反克的事例，即木侮金。

（二）不治已病治未病

既然人的生理、病理都與五行之理相合，那麼對人體出現的病變進行治療，當然就應依據五行之理了。《難經》上早就講過「見肝之病，知肝傳脾，當先實脾。」就是提示我們：治病要根據五行生克規律懂得傳變之理，儘早採取措施。這種病在本髒治他髒的方法中醫學上叫「治未病」。以肝病為例，肝屬木，脾屬土，木能克土，所以見肝之病，則知肝當傳之與脾。治療時就得充實脾氣，使得脾不受邪，以有效地遏制疾病的發展勢頭。臨床時，肝病實證患看往往先見頭暈目眩、胸悶脅痛等症，此時如果不預先充實脾氣，下一步的發展就會出現飲食減少、乏力便溏等脾虛跡象，這就是所說的肝病傳脾了。《內經・八正神明論》說：「上工救其萌芽，……下工救其已成，救其已敗」；《四氣調神大論》也說：「聖人不治已病治未病，不治已亂治未亂。」都是這個意思。

許多中醫方劑的制定凝聚著五行學說的思想，譬如左金丸。本方由薑黃連、吳茱萸二味藥物組成。用於肝經火旺所致之脅肋脹痛，嘔吐吞酸，噯氣口乾，舌紅苔黃，脈象弦數等症。有清瀉肝火，降逆止嘔之功。唐容川說：「病左脅痛，及嘔酸苦者，肝火也。以金平木，清火生金，其理至妙。」(《血證論》)；吳鶴皋雲：「左金者，黃連瀉去心火則肺金無畏，得以行金令於左以平肝，故曰左金。」(《醫方考》)心屬火，肝屬木，肺屬金，肝位於右而行氣於左，肝木得肺金所制則生化正常。本方清心火以佐肺金而制肝於左，所以名叫「左金丸」。本方又名「回令丸」，有得勝回營交令之意。

(三)以情制勝出奇效

我國古代醫家在與疾病作鬥爭的過程中，除採用藥物、針灸、飲食，導引等方式外，還廣泛運用各種心理手段治療疾病。借助五行原理治病者莫過運用情志相勝治病。金代名醫張從正對此作了提綱挈領的歸納，他說：「悲可以制怒，以愴惻苦楚之言感之；喜可以治悲，以謔浪戲狎之言娛之；恐可以治喜，以恐懼死亡之言怖之；怒可以制思，以污辱欺罔之事觸之；思可以治恐，以慮彼志此之言奇之。凡此五者，必詭詐譎怪，無所不至，然後可以動人耳目，易人聽視。」

這裏，不妨舉一則以「恐」勝「喜」的「詭詐譎怪」的醫案，以資印證。據劉獻庭《廣陽雜記》記載，明末有個十年寒窗，一朝中舉的書生，喜極發狂，大笑不止，即向高郵名醫袁體庵求治。袁氏診察後，大驚失色地說：「病看來已很難挽回，或許十天都拖不過，還是趕快回家，晚了恐怕就來不及了。在路過鎮江時，或可請醫者何某再看一下」。袁隨即寫了一信致何，讓患者帶上。患者到鎮江，病已痊癒。他找到何某，拆開信一看，上面寫道：某公喜極而狂，喜則心竅開張而不可複合，非藥石之所能治也，故動之以危苦，懼之以死，令其憂愁抑亂則心竅閉，至鎮江當以愈」。

「此臟腑」非「彼臟腑」

中醫說「腎是先天之本」、「脾是後天之本」，極力推崇脾腎在人體生命活動中的重要作用。但是，西醫在治療某些疾病時，將整個脾臟或一側的腎臟摘除後，病人仍能生存得很好，原因何在？是否中醫的說法不科學？其實，上述疑問的產生，是由於將中醫所說的「臟腑」，與西醫所說的「臟器」，絕對等同起來了。

一、中醫偏重於功能，西醫是解剖臟器

中醫和西醫是兩個不同的醫學理論體系。與西醫相比，中醫對人體的認識，主要建立在對人體生理、病理現象的觀察和臨床經驗的總結，以及人體解剖結構的認識基礎之上，其中的概

念比較抽象，而且包涵的內容較多。一個西醫臟器的功能，可能分散在好幾個中醫臟腑功能之中，而中醫一個臟腑的名稱雖然與西醫相同，但在生理、病理方面的含義卻不完全一樣。瞭解了中醫特點，在閱讀有關的內容時就不至於產生含糊不清的概念。

西醫對於臟腑的認識比較全面，可以說是從形態、結構、功能上來進行認識的，通過生理實驗確定。而中醫在古代由於受解剖學的限制，對臟腑功能的認識是採用取象類比的方法，髒藏於體內，通過表現於體外的生理、病理表現以推測其內在的生理功能；故主要從功能上來認識為主，通過臨床實踐來反證。其中最明顯的是脾臟，西醫的認識主要是人身上最大的淋巴結；而中醫的認識則是一個重要的消化器官。

不過，不應該就此認為中醫的認識不對，中醫的髒和腑是根據內臟器官的功能不同而加以區分的。在中醫學裏五臟、六腑、奇恒之府是構成人體三類不同功能的臟器。髒，包括心、肝、脾、肺、腎五個器官（五臟），主要指胸腹腔中內部組織充實的一些器官，它們的共同功能是貯藏精氣。精氣是指能充養臟腑、維持生命活動不可缺少的營養物質。腑，包括膽、胃、大腸、小腸、膀胱、三焦六個器官（六腑），大多是指胸腹腔內一些中空有腔的器官，它們具有消化食物，吸收營養、排泄糟粕的功能。除此之外，還有「奇恒之腑」，指的是在五臟六腑之外，生理功能方面不同於一般腑的一類器官，包括腦、髓、骨、脈、女子胞等。應當指出的是，中醫學裏的臟腑，除了指解剖的實質臟器官外，更重要的是對人體生理功能和病理變化的概括。因此，雖然與現代醫學裏的臟器名稱大多相同，但其概念、功能卻不完全一致，所以不能把兩者等同起來。

二、中醫臟腑有「表裏」

「表裏」是中醫學中特有的概念，它是人體組織結構關係密切的代名詞。在《內經》中，稱外部為表，包括皮毛肌腠；稱內部為裏，指體內臟器。在談及髒與腑之間的關係時，認為髒與腑是表裏互相配合的，一髒配一腑，髒屬陰為裏，腑屬陽為表。臟腑的表裏是由經絡來聯繫，即髒的經脈絡於腑，腑的經脈絡於髒，彼此經氣相通，互相作用，因此髒與腑在病變上能夠互相影響，互相傳變。

臟腑表裏關係是：心與小腸相表裏；肝與膽相表裏；脾與胃相表裏；肺與大腸相表裏；腎與膀胱相表裏；心包與三焦相表裏。

1、心與小腸：經絡相通，互為表裏。心經有熱可出現口舌糜爛。如心經移熱於小腸，則可兼見小便短赤、尿道澀痛等症。所以我們常用瀉心火的導赤散治療小腸熱。

2、肝與膽：膽寄於肝，臟腑相連，經絡相通，構成表裏。膽汁來源於肝，若肝的疏泄失常，會影響到膽汁的正常排泄。反之，膽汁的排泄失常，又會影響到肝。故肝膽症候往往同時並見，如黃疸、脅痛、口苦、眩暈等。

3、脾與胃：在特性上，脾喜燥惡濕，胃喜潤惡燥；脾主升，胃主降。在生理功能上，胃為水穀之海，主消化；脾為胃行其津液，主運化。二者燥濕相濟，升降協調，胃納脾化，互相為用，構成了既對立又統一的矛盾運動，共同完成水穀的消化、吸收和轉輸的任務。

胃氣以下行為順，胃氣和降，則水穀得以下行。脾氣以上行為順，脾氣上升，精微物質得以上輸。若胃氣不降，反而上逆，易現呃逆、嘔吐等症。脾氣不升，反而下陷，易現久泄、脫肛、子宮下脫等症。由於脾胃在生理上密切相關，在病理上互相影響，所以在臨證時常脾胃並論，在治療上多脾胃並治。

4、肺與大腸：經絡相連，互為表裏。若肺氣肅降，則大腸氣機得以通暢，以發揮其傳導功能。反之，若大腸保持其傳導通暢，則肺氣才能清肅下降。例如：肺氣鬱滯，失其肅降之功，可能引起大腸傳導阻滯，出現大便秘結。反之，大腸傳導阻滯，又可引起肺肅降失常，出現氣短咳喘等。又如：在治療上，肺有實熱，可瀉大腸，使熱從大腸下泄。反之，大腸阻滯，又可宣通肺氣，以疏利大腸的氣機。曾有治療肺熱咳嗽，而痔瘡痊癒的報導，從實踐中證實了肺與大腸相表裏的合理性。

5、腎與膀胱：經絡相通，互為表裏。在生理上一為水髒，一為水腑，共同維持水液代謝的平衡(以腎為主)。腎陽蒸化，使水液下滲膀胱，膀胱又借腎陽的作用，通過自身的功能而排泄小便。在病理上，腎陽不足，可影響膀胱功能減弱而出現小便頻數或遺尿；膀胱濕熱，又可影響腎臟而出現腰痛、尿血等。

6、心包與三焦：經絡相通，互為表裏。例如，臨床上熱病中的濕熱合邪，稽留三焦，出現胸悶身重，尿少便溏，表示病在氣分。如果未能制止其發展，溫熱病邪，便由氣分入營分，由三焦內陷心包，而出現昏迷、譫語等症。

三、一個臟器具有多方面的生理效能

以肺為例，肺的主要功能有三：

一是司呼吸：管一身的「氣」。肺是體內外氣體交換的主要器官，有呼吸功能。它能從大自然中吸進清氣（氧），呼出濁氣（二氧化碳），一呼一吸，好像人體的一個活塞皮袋一樣。《醫宗必讀》形容肺的功能是「吸之則滿，呼之則虛，一呼一吸，消息自然，司清濁之運化，為人身之橐鑰」。在呼吸這項功能上，中醫說的肺與西醫所認識的肺頗為近似。但中醫還認為，肺統管人身的「宗氣」，宗氣由大自然的「天氣」與脾胃產生的「穀氣」綜合化生而成，它積聚於胸肺，為全身氣的根本。《素問．六節髒象論》：「肺者氣之本」。宗氣可通過肺的轉輸以保持各臟腑的生理功能，故《素問．五臟生成》又有「諸氣者，皆屬於肺」的論述。

二是宣發和肅降：所謂「宣發」，就是向上向外，通過肺氣而宣達散佈氣血津液以滋養全身，內至五臟六腑，外至肌肉皮毛。故《靈樞．決氣》總結肺氣此作用為「上焦開發，宣五穀味，熏膚充身澤毛，若霧露之溉」。所謂「肅降」，就是清肅下降的意思，說明肺氣宣清宣降，如肺氣不能肅降時，則可能發生咳嗽、氣喘等證候。

當然，肺氣的宣發與肅降是相反相成的，其作用相互制約、相互依存。沒有正常的宣發，就不能很好地肅降；不能很好地肅降，也必然要影響正常的宣發。這種相反相成的對立統一作用，使人體各臟腑組織既可獲得津液氣血的滋養，而又不至於有水濕停滯的痛證發生。反之，如外界致病因素影響了肺氣的宣發，則可引起咳嗽、氣喘和水腫等肺氣不能肅降的痛證；如痰濕阻滯，使肺氣不能肅降時，則亦可引起肺氣不能宣發而導致咳嗽、氣促、胸悶、喉中痰鳴等病狀。故肺氣宣發與肅降的功能是對立統一的，二者不能偏廢。

三是調理津液水氣：肺能調理津液水氣，故有「通調水道」之功。這實際上就是水液通過肺氣的宣發和肅降作用，佈散周身，供臟腑組織利用之後，上經呼吸，中由汗腺、下從腎及膀胱排出體外。如果肺氣失於宣發和肅降，就可導致水氣的阻滯而出現小便不暢、水腫、咳嗽和氣喘等證候。

由此可知，肺不是一個單純的呼吸器官，而是一個多系統功能的臟器。過去，西醫只認為肺司呼吸，但透過近些年來的不斷研究，也漸認為，肺除具有呼吸的功能外，還具有凝血，通利小便，調節血壓、微循環和防癌等作用。這些都可作為中醫所謂的「肺主氣」、「氣帥血行」、「肺氣不宣則小便不利」以及心肺相關等論斷的佐證，進一步說明了肺功能多樣性的科學意義。

四、一種生理活動，多臟器參與完成

每一臟腑雖然各有它的功能活動，但其作用並不是「各自為政」的，而是彼此相互聯繫的統一的整體。

中醫從整體觀出發，認為臟腑的生理功能以及臟腑之間、臟腑和其他組織器官之間，通過經絡、營衛、氣血等的聯繫和協調平衡，維持著人體的正常生命活動。人體和外界環境保持對立統一關係，是通過臟腑和所屬組織器官的功能活動來實現的。

就拿人的消化功能來說吧，中醫認為與消化系統相關的臟腑許多，從現代醫學卻認為某些臟器毫無關係。

古人在《難經》中對消化系統的解剖、生理功能有過詳盡的論述，「……唇為飛門，齒為戶門，會厭為吸門，胃為賁門，太倉下口為幽門，大腸小腸會為闌門，下極為魄門……」。這裏說的是消化系統的解剖和生理功能的一部分。這段經文的意思是：口唇像門一樣自由開合，是消化道最週邊的一道關口；飲食入口，必須經牙齒的咀嚼，才能下嚥；會厭是食管和氣管的相會處，既是食物下達食管的必經之處，又是呼吸的門戶；賁門是胃的上口；盛受食物的地方，就是胃；胃的下口，小腸的上口為幽門；小腸的下口和大腸的上口連接處是闌門，它說的是飲食物中的精微物質由此得到阻攔；消化道的末端，即指排泄糞便的肛門，稱為魄門。這七個門中醫統稱為「七沖門」，是消化道中的七個關口。任何一關發生病變，都會影響受納、消化吸收和排泄。雖然在消化系統中，參與消化功能和吸收功能的還有其他臟腑，但關係最密切的當屬肝、膽、脾、胃。

肝：肝位於腹部，橫膈之下，右脅之內。肝的主要生理功能是調暢氣機，即氣的升降出入運動。肝的疏泄功能正常，則氣機調暢，氣血和調，經絡通利，臟腑器官等的活動也就正常。如果肝的疏泄功能異常，則可以出現氣機受阻，或肝陽的升發太過兩種病症。

肝的疏泄功能在脾胃消化系統中是一個主要的環節，關係著脾的升清與胃的降濁之間是否協調平衡；肝的疏泄功能正常，是脾胃消化功能正常運作的一個重要條件。肝的疏泄有助於脾胃的運化，亦有助於膽汁的分泌和排泄，如肝能正常地疏泄，則膽汁能正常地分泌和排泄，有助於脾胃的消化和吸收，反之則出現消化功能不良的病變。故古人言，食氣入胃，全賴肝氣以疏泄，而水穀乃化。

膽：居六腑之首，與肝相連，互為表裏。膽儲存膽汁，是肝的精氣所化生，膽汁注入小腸，以助食物消化，是脾胃運化能夠正常進行的重要條件。膽汁的化生和排泄，受肝的疏泄功能控制和調節。肝的疏泄功能正常，則膽汁排泄暢達，脾胃運化功能也健旺；反之膽汁排泄不利，影響脾胃的消化功能，也可以出現膽汁外溢而導致黃疸。

胃：又稱胃脘，分上、中、下部。胃的上部稱上脘，包括賁門；胃的中部稱中脘，即胃體的部位；胃的下部稱下脘，包括幽門。胃的主要功能是儲納食物，腐熟水穀，胃氣以降為順。胃的迫降作用還包括小腸將食物殘渣輸於大腸及大腸傳化糟粕的功能。

脾：位於中焦，在膈之下。它的主要生理功能是主運化、升清、攝血。脾胃，一髒一腑互為表裏，為消化系統的主要臟器，機體的消化運動，主要依賴脾胃的生理功能。脾的運化功能主要有兩點：一是運化水穀，即是對飲食物的消化和吸收。脾的功能健旺，水穀精微物質的吸收就充分，身體就健壯，氣血就旺盛，所以脾胃又稱為後天之本。另一點是運化水液，主要是指它把被吸收的水穀精微中多餘的水分及時轉輸至肺和腎，通過肺腎的氣化功能化為汗和尿排出體外。此外，脾還有造血、攝血的功能，脾氣旺盛，氣血充足，血液能循正常的軌道運行，反之氣血衰敗，血不能循經而出血、溢血、便血。

在消化系統的消化過程中，除了有脾的運化、胃的受納、肝的疏泄、膽汁的參加，還需要腎陽的溫煦，肺的宣發與肅降。同時，小腸的分泌清濁，大腸的傳化糟粕也是很重要的。

五、站得高才能看得遠

肝炎病要治胃（化濕和胃），高血壓要治肝（平肝熄風），尿毒癥要治脾（溫中健脾）。中醫治病講究標本兼治，緩時治本，急時治標。俗話說，站得高看得遠，中醫自上而下，以人體為對象，所以很容易看到問題的本質。

還是以「脾與血的關係」為例，現代醫學認為成年人「脾」是血液的清道夫，中醫則認為「脾」是氣血生化之源。現代醫學所謂的「脾功能亢進」是一種綜合征，臨床表現為脾臟腫大，一種或多種血細胞減少，而骨髓造血細胞相應增生，脾切除後血象恢復，症狀緩解。與中醫學的脾失健運顯然不同。

中醫講「天人合一」，因此中醫治病的過程往往可以用自然界的過程比喻。再以B型肝炎為例，西醫把治療物件鎖定在肝器官上，但中醫不這麼認為。在城市的下水道有濾網（帶孔的陰井蓋），於是有濾網處經常會堵死，那麼你是說濾網有問題呢？還是污水中汙物太多呢？血液中許多毒素需要經肝臟器官的分解，然後經腎臟器官排出體外。B型肝炎病毒在血液中製造了大量的毒素，這些毒素需要經肝臟器官的分解，加重了肝臟器官的負擔，引起肝臟器官的老化、硬化，這時西醫會切除肝臟器官（或部分），於是這些毒素無法分解後排出體外，很快就會導致死亡。中醫則相反，越是肝臟器官受損，說明人體更需要，越要補肝臟器官，於是人體內毒素降低，生命得到延長。這裏用城市下水道類比了人體內毒素的排泄。

總之，人體內臟器官之間，不但有結構上的某種聯繫，而且在功能上也是密切聯繫、相互協調的。某一生理活動的完成，往往有多臟器的參與，而一個臟器又具有多方面的生理效能。內臟之間的這種相互聯繫是人體內臟生理活動的整體性的表現。因此，內臟發生病變後，也可以相互影響。診病用藥，只有按照中醫的理論辨證論治，才能取得理想的效果。

誰主神明

現在說起某人聰明或說他是能工巧匠，大家會想到他大腦發達，誇讚他「心靈手巧」。腦子聰明怎麼就成了心靈呢？古人由於受歷史條件所限，將人的意識、思維活動歸於心的範疇，其實，現代醫學已經證實，這是人類高級神經中樞——大腦皮質的功能。

一、中醫所說的神明

什麼叫神明？這個概念必須弄清楚。中醫學中的神明，泛指統帥一切功能活動的能力和生命活動的外在象徵。從醫學角度來說神明正常，外在表現為精神飽滿，意識清楚，思維靈敏，記憶力強，語言清晰，情志正常，四肢活動自如。從狹義上講，神明是思維意識活動，就是人們常說的機靈、聰明。中醫學認為神明是人體生命活動的主宰，但神明由何髒所主，一直爭論激烈。

二、腦為精明之府

中醫學中把主神明的這一功能歸屬於心。認為心主神明，因此就有了中醫重視心而疏於腦的說法。其實中醫學一方面強調「所以任物者謂之心」（《靈樞‧本神》），心是思維的主要器官；另一方面也認識到「靈性記憶不在心而在腦」（《醫林改錯》）。關於腦的論述如《靈樞・海論》說：「腦為髓之海，其輸上在於蓋，下在風府。」指出了腦上抵顱蓋，下至風府穴。這一部位實際上包括大腦、小腦和腦幹。風府穴以下脊骨內之髓，稱脊髓。脊髓經項後髓孔上通於腦，合稱腦脊髓。明代李梴明確指出：「腦者髓之海，諸髓皆屬於腦，故上至腦，下至尾骶，皆精髓升降之道路也」。腦位於人體之首，寄居於頭，外有顱骨所裹，下與頸項毗鄰。手足三陽經脈的起、止及交接均在頭面部，所以有「頭為諸陽之會」之稱。腦主持整個人體的生命活動，故又可以說「腦為精明之府」。由上可以看出，中醫對腦的部位、解剖特點與精神思維功能的關係有了總體的認識。實際上在其他方面中醫對腦的認識也很深刻了。

三、腦主管特殊感覺

我們都知道，人有一般感覺和特殊感覺，特殊感覺包括視聽嗅和味覺，它是現代醫學所說的除深淺感覺以外的內臟感覺，這一功能中醫通過五官與腦進行了有機的聯繫。從生理角度講，五官的生理作用，是大腦功能外向的展示；大腦的生理作用，又是五官功能內在的綜合；明代王惠源在《醫學原始》中說：「人之一身，五臟藏於身內，此為生長之具；五官居於身上，為知覺之具，耳目口鼻藏於首最顯最高，便於接物。耳目口鼻之所導入，最近於腦，必以髒先受其象而覺之，而寄之，而存之也。」這一段對五臟—五官—腦之間的聯繫可謂直白無誤。

有關腦主管神的功能的論述特別是清代醫家王清任論述詳細，他在《醫林改錯・腦髓說》中指出：「兩目系如線，長於腦，所視之物歸於腦」。腦髓充足，腦神功能正常，則兩目炯炯有神，靈活自如，視物清晰。

腦主耳：耳司聽覺，其功能由腦支配。《靈樞・經脈》云：「膀胱足太陽之脈，……其支者，從巔至耳上循；其支者，從巔入絡腦。」「三焦手少陽之脈，……其支者，從耳後入耳中，出走前耳，過客主人前，交頰至目銳眥」，「膽足少陽之脈，走於目銳眥，上抵頭角，下耳後，……其支者，別銳眥，由目系入腦」。這段意思是說耳與腦有經絡相連，兩耳之聽聲聆音之功能，由腦所主。王清任指出：「兩耳通腦，所聽之聲歸於腦。」腦髓充足，腦神功能正常，則兩耳聰明。

腦主鼻：鼻司嗅覺，其功能由腦所支配。《素問·解精微論》：「泣涕者，腦也。腦者，陰也。髓者骨之充也，故腦滲為涕」。王冰注曰：「鼻竅通腦，故腦滲為涕」。古人認為的「腦滲為涕」雖與事實不符，但說明古人已認識到鼻與腦的內在聯繫。如王清任說：「鼻通於腦，所聞香臭歸於腦。」腦神功能正常，則鼻知香臭，這一論述與現代醫學的認識已經完全一致了。

腦主口舌(咽喉)：口舌(咽喉)司發聲和味覺，其功能由腦支配，口舌(咽喉)與腦有經絡相連。如手少陰心經，「其支者，從心系上挾咽，系目系」；足厥陰肝經「循咽喉之後，上入頏顙，連目系」，「其支者，以目系下頰裏環唇內」；「手少陰之別，系舌本，屬目系」。(《靈樞·經脈》。)「眼(目)系以入於腦」。(《靈樞·大惑論》。)腦神功能正常，則口舌(咽喉)發音和味覺正常。

四、「心主神明」的由來

提到心主神明自然會想到《靈蘭秘典論》「心者，君主之官，神明出焉」與《邪客》「心者，五臟六腑之大主也，精神之所舍也」，由此認定「心主神明」源於《內經》。從歷史角度看這是後人以周時之「心」推論《內經》中的「心」，是「明修棧道，暗渡陳倉」的異常論述手法。其實，「心主神明」乃周時之產物，非《內經》原創。

周時極為重視「心」，因心屬土，土為五行之主，朝廷官職以君主喻之。所以，心為五臟之主，為君主之官。《春秋繁露》說：「一國之君猶一體之心也。」由於「心」的地位，象徵著一國之君，儒家自然不容許「腦」淩駕在「心」之上，於是將「腦主思維」也藏之於心。可見，周時以心為君主之官，為五臟六腑之大主。五臟六腑都是在心的統領下發揮其生理功能活動的，「心」成了人體生命活動的主宰。

如《文子・精誠》說：「心乃神明之府，情動手中，言發手外。」又說：「人稟天地之靈，心乃神明之府。」由於將「腦主思維」藏之於心，於是，儒家就有所謂「心以藏心」之說，如《管子・內業》說：「心以藏心，心之中又有心焉。」《管子・白心》說：「心之中又有心，意以先言，意然後形，形然後思，思然後知。」房玄齡注「心之中又有心」說：「動亂之心中又有靜正之心也。」靜，房氏在《管子・侈靡》中注：「靜，謀也。」說明「動亂之心」者，謂流動血脈之大心也；而「靜正之心」者，謂主靜思之小心也。可見在儒家哲理中，將腦主思維的功能，完全歸之於心，這就是「心腦主神明」由來。所以，「用腦」、「用神」都說成「用心」，一直沿用至今。可見，「心腦主神明」也是周時之產物，也非《內經》所創。這對後世的認識產生了重大影響。

五、得神則康，失神則亡

天有三寶「日、月、星」；人有三寶「精、氣、神」。精、氣、神是生命活動的調節中心。精是生命的物質基礎，氣是生命活動的根本動力，而神是生命活動的最高主宰。中醫的「神」，即是現代的中樞神經系統，它統帥人體臟腑組織的生理功能活動，又能調節與外界環境的統一、協調，以期達到機體陰陽平衡。因此，中醫一向把「養生神（大腦）為先」作為養生之首。《內經》說「精神內守，病安從來」，「得神則康，失神則亡」就是這個道理，因此要想健康，首先要養神，要保護好我們的大腦，要有穩定的情緒、平和的心態、規律的生活、合理膳食。

比如，薄荷能防止大腦血液循環受阻，強健、穩定神經。這樣可提高注意力，使精力集中。學生考試前服用薄荷，有助於取得較好成績。黃芩是一種高效神經鎮靜劑，可防治失眠，消除干擾學習的神經性緊張。木水蘇也是神經鎮定藥，可消除緊張，防治神經過敏，是一種藥性溫和的鎮靜劑。營養豐富的海洋蔬菜可保護心臟及神經組織免受突如其來的緊張壓力的刺激。

傷心也傷肝

人們常說的傷心，實際與中醫所說的肝臟功能關係最密切。肝不僅是一個消化器官，也掌控人的情緒。

一、七情六欲，人之常情

當人們的情緒處在某種狀態時，身體會發生各種不同的變化，稱為情緒反應，情緒反應的產生，雖然與個人的認知有關，但是在情緒狀態下所伴隨的生理變化與行為反應，卻是當事人無法控制的。情緒每個人都會有，現代心理學上把情緒分為四大類：喜，怒，哀，樂。中醫把人的情緒反應概括為喜、怒、憂、思、悲、恐、驚七種，通稱「七情」。

二、情緒主宰人的健康

現代生理醫學、心理醫學研究成果均表明，情緒對人的身心健康具有直接的作用。良好的情緒能促進身心健康，歡樂、愉快、高興、喜悅、樂觀、恬靜、滿足、幽默等都是良好的情緒體驗。這些情緒的出現能提高大腦及整個神經系統的活力，使體內各器官的活動協調一致，有助於充分發揮整個機體的潛能，有益於身心健康和提高學習工作效率。

良好的情緒能增強機體免疫力，提高機體抗病能力。曾有許多癌症患者都是以樂觀向上的情緒，創造了戰勝死神的奇蹟。長壽者的最大共同點就是能夠保持心情愉快、樂觀豁達或心平氣和。心情愉快還會使人容光煥發、神采奕奕，正所謂「人逢喜事精神爽」。

良好的情緒可使血壓穩定、心跳舒緩、胃張力上升、消化液分泌增強，能增強心血管、消化系統的功能。

三、肝主疏泄與情緒最密切

現代醫學認為情緒的產生主要是大腦皮層下的中樞在控制，情緒是受植物神經調控的。人的植物神經系統分為交感神經系統和副交感神經系統。人的植物神經系統控制內臟器官(心臟、血管、胃腸、腎等)、外部腺體(唾液、淚腺、汗腺等)與內分泌功能的變化。植物神經系統既能接受外部感覺器官的刺激的輸入，也能接受來自內臟刺激的輸入。因此，人在內外界的刺激作用下，伴隨著情緒體驗，人體內部發生一系列的生理變化。例如呼吸系統、循環系統、消化系統、內分泌腺、外分泌腺及其代謝過程的相應變化。

而中醫認為情緒是五臟之氣化生的，情志活動必須以五臟精氣作為物質基礎，而外界的刺激只有作用於有關的內臟，才能表現出情志的變化。所以，《素問・陰陽應象大論》說：「人有五臟化五氣，以生喜怒悲憂恐」。心「在志為喜」，肝「在志為怒」，脾「在志為思」，肺「在志為憂」，腎「在志為恐」。

中醫特別重視肝與情緒的關係。王孟英說：「七情之病，皆從肝起。」一般初起肝氣鬱結，大都是精神因素，即心理因素。肝主疏泄，包括調暢情志和調暢臟腑氣機。當肝氣不亢不抑時，疏泄功能正常，人表現為情緒正常、心情舒暢、精神飽滿，則肝的功能可得到充分的發揮；當肝氣反常時，則情態活動亦隨之變化，如肝氣不足時，常易出現驚恐怕事、情緒消沉、精神恍惚等證候。

如一個人憂思或悲哀太甚，常引起肝氣的抑鬱不舒而出現胸悶、脅痛、煩躁、情緒憂鬱、月經不調等「肝氣鬱結」的證候。又如病人性情暴躁而發怒時，可引起肝氣亢進而出現頭昏頭痛、面紅眼赤、情緒躁動、血壓升高等「肝陽上亢」的證候。

四、傷心時候不只傷肝

七情六欲，人皆有之，但不良情緒變化則對人體有害。不良情緒主要是指兩種：一是過度的情緒反應，二是持久的消極情緒。

過度的情緒反應是指情緒反應過分強烈，超過了一定的限度，如狂喜、暴怒、悲痛欲絕、激動不已等。持久的消極情緒是指在引起悲、憂、恐、驚、怒等消極情緒的因素消失後，仍數日、數周甚至數月沉浸在消極狀態中，不能自拔。

過度的情緒衝擊，會抑制大腦皮層的高級心智活動，打破大腦皮層的興奮和抑制之間的平衡，使人的意識範圍變得狹窄，正常的判斷力、自制力被削弱，甚至有可能使人精神錯亂、神志不清、行為失常。許多反應性精神病就是這樣引發的。而持久性的消極情緒常常會使人的大腦機能嚴重失調，從而導致各種神經症和精神病，例如焦慮症、抑鬱症、強迫症、神經衰弱等。心理問題和心理疾病大多與長期消極情緒有密切關係。

不良情緒還可嚴重損害人的生理健康。我國古代醫學中很早就有關於不良情緒影響人的生理功能的記述，如喜傷心（高興過了頭，耗散心氣則瘋癲或心臟病猝發，像範進中舉、南宋的牛皋將軍）、怒傷肝（暴怒使肝氣橫逆無序，吐血或中風，像三國周瑜）、憂傷肺（終日憂心忡忡，消爍肺氣則氣喘短氣，像林黛玉）、思傷脾（日夜操勞，影響脾的運化功能則食不下，像諸葛亮）、恐傷腎（臨刑時有的人因過於恐懼，精關不固則二便失禁）。這裏的喜、怒、憂、思、恐都是指情緒反應超過了一定的限度，或過分強烈，或持續過久。

現代醫學認為強烈或長久的消極情緒會造成心血管機能紊亂，引起心律不齊、心絞痛、高血壓和冠心病，嚴重時還可導致腦栓塞或心肌梗塞，以致危及生命。與中醫的肝陽化風、肝血淤阻相吻合。

消極情緒會影響消化系統的功能。如人在恐懼或悲哀時胃黏膜變白、胃酸停止分泌，可引起消化不良；而在焦慮、憤怒、仇恨時，胃黏膜充血、胃酸分泌增多，從而引起胃潰瘍。中醫把這種情況稱作肝氣犯胃。

中醫認為，肝具有儲存血液、調節血量的功能，即肝有依據人體生理對血液的需要情況，來調節血流量的作用並有協助各臟腑發揮正常功能的作用。強烈的情緒刺激會導致內分泌失調，肝不藏血或肝血不足，則皮膚灰暗無光，在女性身上還表現為月經不調，甚至發生閉經。

酗酒傷肝更傷脾

談到飲酒，很容易與「傷肝」聯繫，因為飲酒過量而引起的肝病確實不少；飲酒後，乙醇可通過肺、尿、汗排出，但絕大部分經由肝臟代謝產生乙醛，乙醛在乙醛脫氫酶作用下生成乙酸等化合物排出體外。

一、有句俗話叫「飲酒傷肝」

《內經》中有：「以酒為漿……故半百而衰也。」即把酒當作湯水來飲用，人剛剛五十歲就已經衰老了。

「無酒不成席」，同時，酒也是「穿腸的毒藥」，過量飲酒即酗酒危害健康。從酒仙「劉伶」到「酒聖」李白，生活中有多少人因喝酒誤事，多少人把命斷送在這酩酊酣熱之際。那些以為「酒是糧食精，越喝越年輕」而豪飲不止者，應當引以為戒了。

其實，飲酒後，絕大部分乙醇要經由肝臟代謝，在短時間內喝下大量的酒，會引起急性酒精性肝炎，肝細胞被大量破壞而發生壞死；若長期大量的飲酒，即使沒有發生急性肝炎，那也會不斷地引起肝細胞的反覆破壞出現慢性肝炎或脂肪代謝障礙，使脂肪堆積而形成脂肪肝。長年累月，肝臟中的纖維會逐漸的增生，變成肝纖維化，並逐漸形成肝硬化。這在現代醫學中早已成定論。

中醫是怎樣認識飲酒的？酒與肝有什麼聯繫？首先我們要明確一點，那就是中醫講的「肝」與現代醫學所說的「肝臟」不是一碼事。現代醫學認為肝臟是人體最大的腺體，具有分泌、排泄、合成、生物轉化及免疫等多種功能。肝臟是酒精的主要代謝器官，過量或長期飲酒自然會導致肝臟損傷。而中醫認為肝是主疏泄和藏血的，與情緒、消化和血液循環密切相關，酒精代謝的主要承擔者是脾。

二、酒食不節制 傷脾又傷肝

中醫認為，脾主要有轉化和輸送飲食精華及統管血液等功能。中醫把轉化和輸送飲食精華的作用取名為「運化水穀」，它包含有諸如食物的消化、吸收和精華物質的輸送等功能。這些功能。使全身各組織臟器都得到營養物質，並對人體氣血的生成和出維持生命活動有著重要作用。故中醫有「脾能磨穀」（消化飲食）、「脾氣散精」、「脾為後天之本」並為「氣血生化之源」等概括。

肝主疏泄，促進脾的運化，脾胃之氣的升降功能在食物的消化吸收中起到升清降濁的重要作用，這與肝的疏泄功能密切相關。

中醫認為，酒能活血通脈，引行藥勢，增進食慾，消除疲勞，陶冶情志，使人輕快並有禦寒提神的功能；少量飲用白酒特別是低度白酒可以擴張小血管，促進血液循環，延緩膽固醇等脂質在血管壁沉積，故對循環系統及心腦血管有利。

但酒又屬醇甘厚味，性質溫熱，過量或者長期飲酒就會影響臟腑功能。其後果：一是戕傷脾胃，耗竭陰液。脾胃功能減弱，病人則會出現進食減少，腹部脹滿、大便稀溏及食物不消化等表現；進而影響到氣血的生成和臟腑的營養。所以「酒鬼」往往面色萎黃或黧黑、身體消瘦、四肢疲乏無力，日久肢體發抖。二是酒醴久積胃腸，可以釀濕生熱，蘊毒成膿。意思是說長期飲酒，會導致胃腸功能紊亂，免疫力下降，容易合併感染。譬如酒糟鼻、口腔潰瘍等。若嗜酒無度還影響肝膽疏泄，可成酒癖；或濕熱下注，可成酒痔；或嗜酒過度，易成酒勞；或影響膽胃通降，甚則黃疸發作。

三、飲食貴「合時有節」

脾胃的功能如此重要，一旦飲食失節就會導致脾胃損傷。飲食失節不僅包括「酗酒」，還包括飲食過量、食量不足、飲食不潔、飲食偏嗜。

（一）飲食過量

人體營養來自飲食，但飲食過量往往可損傷胃腸。調理飲食既要善食，也要善節，特別是晚餐寧少食，勿太飽，也不宜過於肥美。若吃肥肉烈酒，滋膩腥葷，易傷人胃氣。如若暴飲、暴食而且餐餐飲食過量，會引起胃擴張，橫膈升高，增加心臟負擔，還誘發心肌梗塞、膽囊炎、胰腺炎、胃潰瘍、急性腸胃炎等疾病。即使大饑大渴時也不宜過食、過飲。孫思邈說：「不欲極饑食，食不可過飽；不欲極渴而飲，飲不可過多，飽食過多，則結積聚，渴飲過多則成痰癖。」晉代張華《博物志》說，吃得越多，脾胃功能越易損傷，人的壽命越短。金元四大家之李杲《脾胃論・脾胃虛實傳變論》說：「飲食自倍，則脾胃之氣既傷，而元氣亦不能充，而諸病之由生也」。明代龔廷賢《壽世保元》中也說，「食唯半飽無兼味，酒至三分莫過頻」，這些勸誡都十分耐人回味。

（二）食量不足

食量要因人因證而宜，勿太過或不足。食量太過，運化不及，損傷脾胃，水飲積聚久之會發胖；食量不足，機體得不到水穀精微之品，導致正氣不足，無以驅邪，久之氣血虧損而病生。

食量不足，可因疾病所致。如肝炎患者食少是主症；惡性腫瘤患者因不能進食和消耗呈惡液質。也可因平素不注重調攝，自戕身體。如三國武侯諸葛亮，古史載，當諸葛亮第六次出祁山時，與司馬懿在五丈原對壘，司馬懿堅守不出。為逼其出戰，諸葛亮遣使至曹營羞辱他，但司馬懿沒有中計，反而款待來使。席間相問：丞相飲食如何？答曰：飲食日少；又問：丞相理事如何？答曰：早起晚睡，事無巨細都要過問。司馬懿大喜，對左右說道：孔明食少事繁，豈能久乎？不久，諸葛亮果然因勞累過度撒手而去，空留下滿腹未盡心願。

可見，能食與否，直接左右著病情的進退和關係壽命的長短。所謂「得穀者昌，失穀者亡」，「有胃氣則生，無胃氣則亡」。

（三）飲食偏嗜

飲食偏嗜主要包括寒熱偏嗜、五味偏嗜、食類偏嗜三個方面。

1、寒熱偏嗜：飲食偏寒、偏熱大多與體質偏陰、偏陽有關，但不宜過寒過熱。飲食寒熱偏嗜可致人體陰陽失調。若偏嗜辛溫燥熱之品，則可導致胃腸積熱，出現口臭、口渴、腹滿脹痛、便秘等證；目前已知，過熱食物是引起食道癌的原因之一。過進冷食，過食生冷寒涼之品，可損傷脾胃陽氣，從而內生寒濕，發生腹痛泄瀉等症。《外科正宗》說：「生冷傷脾，硬物難化」；婦女嗜食生冷，還常是引起痛經和月經不調的原因之一。隨著季節的變化，選擇寒性或熱性食品，這也是很重要的。《飲食膳要》說：「春氣溫宜食麥以涼之，夏氣熱宜食菽以涼之，秋氣燥宜食麻以潤其燥，冬氣寒宜食粟以熱性治其害。」夏天吃冰棍、冬天「羊肉湯」，這些都是借助食物來調節機體寒溫以保安康的常用方法。

2、五味偏嗜：人體的精神氣血都是由飲食五味所資生，五味與五臟，各有其「親和性」。「夫五味入胃，各歸所喜。故酸先入肝，苦先入心，甘先入脾，辛先入肺，鹹先入腎。」飲食五味偏嗜，雖亦有某些地域生活習慣的影響，如兩廣偏甘淡，兩湘偏辛辣，但如果長期嗜好某種食物，就會造成相應內臟機能偏盛，久之則可損傷其他臟腑，破壞五臟的平衡協調，導致疾病的發生。

嗜酸傷記憶：嗜食酸味食物的人容易產生疲勞，長期食用還會影響大腦神經系統的功能，引起記憶力減退，思維能力下降。

嗜甜傷心：嗜甜食的人，容易生痰，痰阻心脈而致病。甜食含熱量高，還會引起熱量過剩，容易使人患肥胖症，引起動脈硬化、糖尿病和心腦血管病。

嗜苦傷脾胃：少量食用苦味食物有開胃作用，大量食用則會損傷脾胃的功能，引起食慾不振、嘔吐、腹瀉、消化不良。

嗜辣上火：辛辣食物具有很強的發散作用，嗜食辛辣使人耗氣傷津，容易引起大便秘結，口舌生瘡等「上火」現象，而且還會導致急慢性胃病、潰瘍病和痔瘡的發生。

嗜鹹傷腎：喜食鹹食可引起高血壓、腎臟疾病和心腦血管病。

從其臟腑關係看，五味偏嗜之致病符合五行相克規律，使原來相克之臟腑發生相乘，而出現疾病。同樣，從臨床實際來看，治療某些疾病，也可按照五行相克規律，取之以五味來加以治療。

3、食類偏嗜：主要是指專食或厭食某種或某類食品，易損傷脾胃導致某些營養物質缺乏而發生病變。如癭瘤（碘缺乏）、佝僂（鈣、磷代謝障礙）、夜盲（維生素A缺乏）等。如過食肥甘厚味，可聚濕生痰、化熱，易致肥胖、眩暈、中風、胸痹、消渴等病變。

說到飲食「合時有節」，意思為一天的三餐要定時而進，並且吃時有所控制，不要暴飲暴食。對於前者，古書有「食哉惟時」和「飲食以時」的說法，當然，如果臨時肚腹感到饑餓，適當地進些點心；或年老脾胃虛弱，少食多餐都是必要的。

「食哉惟時」，我國古代早有相關內容記載：一月「春不可食肝，為肝王時，以死氣入肝，傷魂也」。「春七十二日，省酸增甘，以養脾氣。」「二月腎臟氣微，肝臟正王，宜淨膈三月勿食脾，乃是季月土旺，在脾故也。」「四月宜補腎助肺，調和胃氣，無失其時。」「五月勿食肥濃，勿食煮餅，伏陰在內，可食溫暖之味。」六月「夏季月末一十八日，省甘增鹹，以養腎氣」。七月「秋七十二日省辛增酸，以養肝氣」。八月「仲秋宜增酸減辛，以養肝氣，無令極飽，令人壅」。九月「秋季月末一十八日省甘增鹹，以養胃氣」。十月「冬七十二日省鹹增苦，以養心氣」。十一月「仲冬腎氣正王，心肺衰，宜助肺安神，補理脾胃，無乖其時，勿暴溫暖，切慎東南賊邪之風犯之，令人多汗，面腫腰脊強痛，四肢不通」。十二月「冬季月天一十八日省甘增鹹，以養腎氣」。說明古人十分重視「飲食以時」的飲食養生方法。

在日常的飲食調理中，冬天不吃西瓜、不喝綠豆糖水、不進食生冷食物，夏天不吃狗肉、慎用參茸，不進過於溫補、燥熱之物，已是顧護脾胃、內養精氣的一般常識。

夜生活過多傷肝腎

因為有了愛，世界變得更精彩；因為有了性，才使愛更加完美。造化弄人的性別差異，使性生活和物質生活、精神生活共同成為人類生活重要的組成部分。

因為有了愛，世界變得更精彩；因為有了性，才使愛更加完美。造化弄人的性別差異，使性生活和物質生活、精神生活共同成為人類生活重要的組成部分。

一、紛繁的世界「食、色、性」

中國自古代就很重視性，聖人孔子就大膽喊出了「食色，性也」的口號，《易經》更是依照男女兩性的生殖器形態特點創造了陰、陽爻符號，並以「男精女血」、「男剛女柔」、「男施女生」等性現象為理論基礎。我們經常提到「性命」，把「性」與「命」相提並論，可見人們對性的重視。

有了「性」，才有「命」；但是因為「性」，也可以要了「命」。正如古人所言：「房中之事，能生人，能煞人，譬如水火，知用者，可以養生；不能用之者，立可屍矣」。古代皇帝嬪妃如雲，雖然他們每天山珍海味，御醫親侍，但到頭來惡疾纏身、早亡夭折者比比皆是。歷史上能查出生卒年齡的二百零九位皇帝，平均壽命僅有三十九歲。管理天下人的皇帝唯獨管不了自己。倒是「遠房圍，習武備」的清乾隆皇帝活了八十八歲，成了幾千年來皇帝中的長壽冠軍。唉！「縱慾催人老」、「房勞促短命」啊！

二、乙癸同源

中醫認為人的生殖系統與肝腎關係最為密切。肝腎之間也是相互依賴，肝藏血，腎藏精。肝血需要腎精的滋養，腎精又依賴於肝血的化生。中醫稱之為精血同源，或肝腎同源。如果腎精虧損，則會導致肝血不足，而肝血不足，也會影響腎導致腎精虧損。此外，肝主疏泄功能與腎主封藏功能之間也是相互制約、相反相成的。如果肝之疏泄與腎之封藏功能失調，則會影響女子的月經來潮和男子的泄精生理功能。

（一）腎是先天之本

一個人發育到青春期時，腎氣充盛，產生了一種叫做「天癸」的物質，於是男子就能產生精子，女子開始排卵，出現月經，性機能也逐漸成熟而有生殖能力；待到老年，腎氣漸衰，性機能和生殖能力隨之逐漸減退而消失。現在我們已經知道，體內的性激素水準是決定性系統正常的最基本因素。而性激素的製造、分泌是由丘腦下部—腦垂體—性腺來進行調控的。丘腦下部通過接受大腦傳來的資訊(視、聽、觸、嗅、思維幻想)來決定腦垂體分泌促性腺分泌素或抑性腺分泌素，從而決定體內性激素的水準。大腦—丘腦下部—腦垂體—性腺軸是最重要的性功能調控系統，它的正常運行是維持性系統功能的基本條件。中醫講「腎主骨生髓」，認為腦髓由腎精所化生，生殖系統與腦（神經系統）之間的密切關係驗證了性系統與肝腎，尤其是與腎的密切關係。

古人說：「淫聲美色，破骨之斧鋸也。」中醫學歷來認為房事不節，勞倦內傷是致病的重要原因。《史記・倉公傳》載病例二十五個，其中病因於「內」，即房勞者有八例之多。因為失精過度，或不懂方法，違反禁忌，必然耗傷精氣，正氣虛損，致使百病叢生。我們在前面的章節中也提到腎精充足是全身健康的保證。腎為先天之本，腎精充足，五臟六腑皆旺，抗病能力強，身體強壯，則健康長壽。反之，腎精匱乏，則五臟衰虛，多病早夭。所以說「保得一分腎精，便保得一分性命」，雖然，腎精可以得到後天的培補，但若天天耗散，夜夜流失，再充足的腎精也會衰竭。

（二）肝是耐力的源泉

人在始終疲勞，得不到修養的情況下，會傷肝。肝腎受損，則所藏之精血匱乏，而致百病叢生。臨床上房事過度的人常常出現腰膝疲軟，頭暈耳鳴，健忘乏力，面色晦暗，小便頻數，男子陽痿，遺精、滑精，女子月經不調、宮冷帶下等症狀，這些都是肝腎受損的症狀。

現代研究認為，性生活過度，會導致內分泌失調，免疫功能減退，對各種疾病抵抗力減弱，致使代謝功能反常，易引起各種疾病，腫瘤發病率增高。精液中含有大量的前列腺素、蛋白質、鋅等重要物質。過頻的房事生活會丟失大量與性命有關的重要元素，促使身體多種器官系統發生病理變化而加速衰老。另外，精子和性激素是睾丸產生的，失精過度，可使腦垂體前葉功能降低，同時加重睾丸的負擔，並可因「回饋作用」抑制腦垂體前葉的分泌，導致睾丸萎縮，從而加速衰老的進程。

三、房事合理，固本強身

房事不節，一是指行房無度，二是指行房無術。

（一）行房無度

即把握不好房事的數量問題。但「度」不是一個絕對概念，古代和現代文獻都提出了一些參考標準。如《素女經》認為：「人年二十者，四日一泄；年三十者，八日一泄；年四十者，十六日一泄；年五十者，二十一日一泄；年六十者，即當閉精，勿複更泄也。若體力猶壯者，一月一泄。若年過六十，而有數旬不得交接，意中平平者，可閉精勿泄也」。古人還認為不同的季節，度的標準也不相同，應遵循「春二、夏三、秋一、冬無」的原則，即春天每月二次，夏天每月三次，秋天每月一次，冬天避免房事。其實行房次數適度的掌握，並沒有一個統一標準和規定的限制，宜根據性生活的個體差異，加上年齡、體質、職業等不同情況，靈活掌握，區別對待。適度的性生活應是以房事後次日無精神不振、頭昏、疲倦不適等為度，但若出現面容憔悴，形體消瘦，精神倦怠，萎靡不振，頭重腳輕，周身無力，心跳氣短，虛汗淋漓，失眠多夢，不思飲食，就是性生活過度的表現了。當以上「信號」出現時，雖然肝腎已有損害，但及時加以節制，尚可恢復，若仍恣意無度，則由肝腎影響全身，悔之晚矣。

（二）行房無術

是指對房事應掌握的方法和禁忌不瞭解，即使行房不頻，也會損及肝腎。比如說酒後入房。人們對酒的危害大多認識不清，一般認為酒對性興奮有一定的促進作用，可以延長興奮時間；而且現代社會餐桌上的交際、交易增多；甚至有些人認為「下班回家吃飯是男人的恥辱」，導致酒精催生了一大批性功能低下者。酒「少飲有益，多飲則損」，酒精能麻醉大腦，可以使人延長做愛時間，超出平時的性能力，有的人甚至為了追求這種高品質的性愛，故意在行房前飲酒以助性。《內經》上說：「腎為作強之官」，經常作勉強、超出正常能力的事，就會耗竭腎精。《三元延壽參贊書》說：「強力入房則精耗，精耗則腎傷，腎傷則髓氣內枯」。酒是大熱的東西，可以灼傷腎中水液，而且能煽動腎中所藏的相火妄動，使性慾膨脹，增加性愛次數，更加耗竭腎精，性功能也相應下降。沒有腎水的節制，則相火更旺，從而陷入一個惡性循環中。經常飲酒的人，當舌質呈現粉絳色時，一般已經陷入這個循環中了。正如《素問・上古天真論》所云：「以酒為漿，以妄為常，醉以入房，以欲竭其精，以耗散其真，不知持滿，不知禦神，務快其心，逆於生樂，起居無節，故半百而衰也」。

另外要注意疲勞和病後初愈也不宜做愛，疲勞後做愛同「酒後入房」一樣，同樣會傷及肝腎。病後康復階段，精虧氣虛，元氣未複，極需靜心休養。若反而行房耗精，使正氣更難複元，輕者舊疾復發，重者甚至喪命。《千金要方・傷寒勞複》上載有「病新差，未滿百日、氣力未平復，而以房室者，略無不死」的明論，並記載一個鮮活的病例以警示世人，「近者有一士大大，小得傷寒，差已十餘日，能乘馬行來，自謂平復，以房室，即小腹急痛，手足拘攣而死」。現代醫學也證明，一些慢性病如結核病、肝臟病、腎病等，房事過度可促使舊病復發或惡化。

另外，古代文獻中還有行房要注意「天忌」、「地忌」的說法。如雷電暴擊、狂風大雨、山崩地裂、奇寒異熱之時，以及日月星辰之下，神廟佛寺之中，井灶圊廁之側，塚墓屍柩之傍等。中醫主張「人與天地相應」，自然界的劇烈變化以及周圍環境能給人以很大的影響，自然界的劇變常可超過人體本身的調節能力，打破人體的陰陽平衡，發生氣血逆亂，氣血逆亂則百病生。不良的環境則可影響男女雙方的情緒，不但影響房事品質，更會影響身體健康。

四、禁慾有害於健康

我們反對縱慾，但也不提倡禁慾。禁慾同樣不利於人的身心健康。我們知道身體健康狀況受多種因素的影響，其中生活穩定、精神愉快、心情舒暢與健康的關係更為密切。而和諧的性生活正是能對這幾方面予以保證。性慾長期得不到滿足，會使人產生失眠、機能低下、興奮和頭痛等一系列神經衰弱症狀。

元代李鵬飛說：「男女居室，人之大倫，獨陽不生，獨陰不成，人道有不可廢者」。男女相需好比是天地相合，若男女兩者不合，則違背陰陽之道。《玉房秘訣》中亦謂：「男女相成，猶天地相生，天地得交會之道，故無終竟之限。人失交接之道，故有夭折之漸，能避漸傷之事而得陰陽之道也」。《素女經》也指出：「陰陽不交，則生痈瘀之疾，故幽、閑、怨、曠多病而不壽」。

由此可見，房事生活本乎自然之道，對人的生理和心理健康都極為重要。性愛可以調協體內的各種生理功能，促進性激素的正常分泌，有利於防止衰老。良好的房事生活可以增強夫妻和諧、婚姻的情趣和家庭幸福，有人提出：「性與生命同在」是有道理的。實踐證明，獨處或曠男怨女多病而不壽，「獨身主義」不符合生理性規律。正常的房事生活可促進和保持健康的心理，使人積極樂觀。

有研究證明：夫妻性生活長期不和諧者，平均男子壽命縮短十二年，女子縮短六年。獨身男子要比有婚配的男子平均短壽十五~二十年，而且心臟病、高血壓、肝硬化的發病率明顯增高。性愛專家史密夫博士表示，性愛過程中，人的心跳速率和血壓都有所提高，全身血液循環加快，呼吸變深，血液含氧量增加。當攜帶著大量氧氣的新鮮血液到達全身細胞、器官和組織中時，人體就像被新鮮空氣過濾了一樣，讓人體心血管衰老、疲勞甚至致病的有害物質會被清除掉。

另外，性愛還有助於降低全身的膽固醇水準，並促進不良膽固醇向良性轉化。性學專家們還證實，性愛運動可以幫助減肥，做愛一次，大約相當於慢跑二十分鐘，所消耗的熱量是伏案工作的十倍以上。

從心理學角度來說，性慾望的實現伴有的性快感，可以帶來心理滿足。強烈的禁慾，可導致心靈的痛苦體驗，表現為精神恍惚、性情乖張，進而出現軀體症狀，如失眠、噩夢、頭暈、目眩、記憶力下降、胃腸不適等。從生理學角度來說，如果一個男性長期禁慾，用理智來壓抑外在的性衝動，卻無法改變器官內部的相應變化，生殖系統一系列相應的生理反應卻照常發生，出現各相關腺體的分泌增多、血管擴張充血等變化，當這些器官生理變化所產生的內分泌增多和局部充血得不到宣洩時，就可能發生生殖系統的某些病症，如前列腺增生、前列腺炎等，從而影響人體健康。女性如果長期禁慾，乳房和生殖系統經常充血不易消退，就可能導致乳房脹痛不適、乳腺小葉增生、乳腺癌和生殖系統的某些疾病。中醫認為禁慾使人的意願得不到滿足，慾火得不到宣洩，從而處於一種鬱悶、焦慮、憤懣的心理狀態中。七情在中醫致病病因中歷來佔有重要的地位，並隨著社會發展，其作用愈發突出。鬱悶、焦慮的心情必然導致氣機運行遲滯，進而影響血液運行。氣血淤滯，化生百病。

五、「朝九午三」要不得

當然我們所說的「夜生活」不僅指性生活，還包含其他很多內容，如徹夜狂歡、熬夜筆耕、懸樑夜讀等等，這就是所謂的「朝九午三」。即晚上熬夜無度，次日上午九點起床，稍事活動即午休，下午三點後方醒。是現代大學生和自由職業者引以為豪的生活習慣。殊不知，夜晚是人們睡眠休息的時間，在這個時間經常做別的事情，就會損害身體健康。中醫認為白天屬陽，夜晚屬陰；陽動陰靜；陽主生長，陰主閉藏。白天就是要動，要升發、生長，而夜晚就是要靜，要生息休養。否則，就會遠離「陰平陽秘」的健康狀態。通俗一點理解，夜生活其實就像是點燈，燒的是油啊！人體內這個油是什麼？就是精血，就是肝腎之陰啊！現在很多人未老先衰、疾病纏身，不健康的生活習慣是難逃其咎的。

從生活中的現象說肺與腎

稍通醫學常識的人都知道，氣喘吁吁屬於肺，尿少水腫歸於腎。其實氣喘水腫與這兩個器官都有關。肺主氣，司呼吸，為水之上源；腎主水，主納氣，為氣之根。

一、吐故納新，管理呼吸

肺是體內外氣體交換的主要場所，人體通過肺，從自然界吸入清氣，呼出體內的濁氣，從而保證人體新陳代謝的正常進行，這和現代醫學理論比較接近。與現代醫學不同的是，肺的呼吸功能需要另外一個臟器的配合，那就是「腎」。

中醫講「腎主納氣」，就是說由肺從自然界吸入的清氣必須要由腎來接納，否則清氣就進入不了體內，就會出現呼多吸少，吸氣困難等症狀，這也就是「腎不納氣」的症狀。生活中一些腎虛的人尤其是老年人，我們讓其進補些像核桃、蛤蚧之類的補腎藥，可以很好地改善呼吸功能就是個很好的例證。當然還有很多種情況可以影響肺的呼吸功能出現病理狀態，比如說感受外邪、痰、生氣上火、肺氣虛、肺陰虛等。

二、翻雲覆雨，疏導水液

說肺管理呼吸，直白明瞭，說它管理水液代謝，似有越位之嫌。知道提壺揭蓋嗎？壺內有水倒不出，壺蓋打開再倒自然就出。

肺就相當於水壺的蓋子。肺主「通調水道」，就是說肺參與並主導體內的水液代謝，這是中醫「取類比象」思想的一大閃光點。肺在五臟六腑中處於最高點，所以我們睿智的祖先把它稱為「華蓋」，也就是皇帝頭頂的遮陽傘，是權力和尊貴的象徵。中醫講肺為水之上源，意思是從脾胃吸收來的和由腎氣化來的水向上聚集到肺，再由肺向下輸布到五臟六腑、四肢百骸。由此可以看出肺就像天空飄過的雲，由地面和海洋蒸發的水汽向上彙聚成雲，再由雲變成雨，撒布到大地上。自然界的水是這樣循環的，人體內也是這樣，中醫理論就是這樣的樸素而又科學。生活中很多患者的便秘就是因為肺不能通調水道造成的。試想，腸道內得不到由肺輸布來的水，大便能不乾嗎？這時候我們只要補肺氣或者幫助肺完成宣發肅降的生理過程，問題就會迎刃而解。

三、相傳之官，治節出焉

肺還有一個重要功能並為被大家所瞭解，那就是感受天氣的變化，並引導機體作出相應的調節。《黃帝內經》中說「肺為相傳之官，治節出焉」，意思是肺就像一個國家的丞相，負責治理國家大事。《內經》那個時代國家經濟就是農業經濟，丞相需要治理調節的也就是農業那點事，要做出正確的治理調節就必須「看天吃飯」，也就是正確地觀察感受天氣的變化。我們說「春江水暖鴨先知」，為什麼鴨先知？就因為鴨子是泡在水裏的，而肺開竅於鼻，與空氣相接觸，自然能感受天氣的變化了。這一理論的典型展現就是過敏性鼻炎。一些初犯過敏性鼻炎的人一用冷水洗臉或進入空調房間就會鼻塞、流涕、打噴嚏，「鼻涕一把，淚一把」，其中有很多人是因為肺氣虛，感受氣溫變化並做出調節的功能差了，不能適應劇烈的溫度變化而產生了過激的症狀，這時只需大補肺氣即可。

上面說的是肺的主要生理功能，任何原因導致上述功能失常，就會出現疾病狀態。有哪些原因會導致肺的疾病狀態呢？首先就是外感六淫，即風、寒、暑、濕、燥、火，肺開竅於鼻同時外合皮毛，司職衛外，為人身之藩籬，人體感受外邪，則肺首當其衝。正如《內經》所說：「傷於風者，上先受之」。其次是內生邪氣主要是痰和火；再其次是肺自身不足如肺氣虛、肺陰虛。上述原因導致了肺臟疾病就會出現鼻塞、噴嚏、流涕、咳嗽以及喘息等症狀。中醫說「肺為嬌髒」、又說「肺如鐘，撞則鳴」，這兩個描述是說肺就像鐘一樣，任何因素輕輕一碰，就會響，肺怎麼響？當然是咳嗽了。真是太傳神了！中醫的人文特點由此可見一般。

肺臟保健要少吃辛辣辛味，宜淡食少鹽忌鹹；飲食切勿過寒過熱，尤其是寒涼冷飲。《內經》早就有「大飲則氣逆」和「形寒飲冷則傷肺」之明誡。因此在飲食上一定要合理調攝，切不可貪涼飲冷。經常訓練腹式呼吸以代替胸式呼吸，每次持續五～十分鐘，可以增強膈肌、腹肌和下胸肌活動，加深呼吸幅度，增大通氣量，減少殘氣量，從而改善肺功能。經常進行耐寒鍛鍊，目的在於增強機體免疫功能，預防感冒。具體方法可採用冷水浴面、空氣浴和健鼻的保健。

我們再來研究一下有關腎的知識。腎位於腰部，左右各一，狀似豌豆。中醫學講究取類比象，認為多吃豆類可以補腎。《內經》雲：「其臭腐，其味鹹」，意思是說，有腐臭味和鹹味的東西入腎。日本人是比較講究養生的，並深諳中醫養生之道，他們喜歡吃豆豉和海產品是很符合《內經》精神的。

四、腎為先天之本

腎藏精，主生長發育，這是它最主要的功能。腎所藏的精氣包括「先天之精」和「後天之精」。「先天之精」是稟受於父母的生死之精，是構成胚胎發育的原始物質，即《素問・本神》所說的「生之來，謂之精」，所以稱「腎為先天之本」。這個「先天之精」是與生俱來的。有的人天生體質差，有的人患有先天性疾病，都是因為這個「先天之精」出了問題。東漢養生家王充就提出稟氣的厚薄決定壽命長短的觀點，在他所著的《論衡》中強調指出：「若夫強弱夭壽，以百為數，不至百者，氣自不足也。夫稟氣渥則其體強，體強則其壽命長；氣薄則其體弱，體弱則命短，命短則多病壽短」。指出人的健康情況和壽命長短與「稟氣」即「先天之精」密切相關。

但這並不是說健康就是先天註定的，我們可以無所作為，無能為力了，因為腎還藏有「後天之精」。「後天之精」是指出生以後，來源於攝入的飲食，通過脾胃運化功能而生成的水穀之精氣，以及臟腑生理活動中化生的精氣通過代謝平衡後的剩餘部分，藏之於腎，故《素問．上古天真論》說：「腎者主水，受五臟六腑之精而藏之」。我們通過培補「後天之精」可以彌補先天之不足，更可以延年益壽。張景嶽在《類經．攝生類》明確提出：「善養生者，必寶其精」，指出了節慾保精的重要性。現代醫學研究認為，腎與下視丘、垂體、腎上腺皮質、甲狀腺、性腺，以及植物神經系統、免疫系統等，都有密切關係。腎虛者可導致這些方面功能紊亂，並能引起遺傳裝置的改變，從而廣泛地影響機體多方面的功能，出現病理變化和早衰之象。臨床大量資料報導都表明，性慾無節制，精血虧損太多，會造成身體虛弱，引起多種疾病，過早的衰老或夭亡。

腎所藏之精化生為腎氣，「人之有腎，如樹木有根」，腎氣的充盈與否與人體生、長、壯、老、死的生命過程密切相關。例如，人在七八歲時，由於腎氣的逐漸充盛，所以有「齒更發長」的變化；發育到青春期，腎氣充盛，產生了一種叫做「天癸」的物質，於是男子就能產生精子，女子開始排卵，出現月經，性機能也逐漸成熟而有生殖能力；待到老年，腎氣漸衰，性機能和生殖能力隨之逐漸減退而消失。

腎主水。腎主水是指腎具有主持全身水液代謝、維持體內水液平衡的作用。主要包括兩個方面：一是將來自水穀精微、具有濡養、滋潤臟腑組織作用的津液輸布全身；二是將各臟腑組織代謝後的濁液排出體外。而水液代謝這兩個過程的實現，都要依賴腎的「司開闔」和「汽化」功能。

腎有司開闔的作用。開，則水液得以排出；闔，則機體需要的水液得以在體內豬留。如果腎氣充足，則開闔有度，尿液排泄也就正常。如果腎主水的功能失調，開闔失度，就會引起水液代謝紊亂。如闔多開少，可見尿少、水腫；開多闔少，則尿多、尿頻。

腎的「汽化」功能是體內津液代謝很重要的一個環節。通過腎陽的溫煦作用，將流到下焦的水液中清的部分蒸騰上升到肺，再由肺輸布下來，從而完成水液代謝的循環過程，濁的部分從膀胱排出體外。如果把肺比作雲，那麼腎就是地上的海洋湖泊。陸地上的水只有通過汽化蒸騰到天上，才會有雲，才能下雨。所以腎陽虛損的病人，汽化作用減弱，水液停留在下焦、四肢，就會出現水腫。肺腎分別作為人體內水液的上源、下源，在水液代謝中扮演了重要的角色。

腎主納氣。納即收納、攝納的意思。腎主納氣，是指腎有攝納肺所吸入的清氣，從而保證體內外氣體正常交換的作用。只有這樣才能保持一定的呼吸深度。故腎的納氣功能正常，則呼吸均勻和調。如腎虛不能納氣，就會出現上面所說的「腎不納氣」證。

開竅於耳及二陰。耳的聽覺功能依賴於腎精的充養。腎精充足，則聽覺靈敏；腎精不足，則出現耳鳴、聽力減退等。二陰是前陰與後陰的總稱。前陰包括尿道和生殖器。尿液的貯存和排泄雖為膀胱的功能，但須依賴腎的氣化作用才能完成。因此，凡尿頻、遺尿或尿少、尿閉多與腎的功能失常有關。後陰指肛門。糞便的排泄雖由大腸所主，但中醫認為亦與腎有關。如腎陰不足可致腸液枯涸而便秘；腎陽虛衰，脾失溫煦，水濕不運，可致大便泄瀉；腎氣不固，可致久泄、滑脫。

腎在體為骨，其華在髮。腎藏精，精能生髓，髓藏於骨腔中以營養骨骼，所以有「腎主骨」、「腎生骨髓」的說法。腎精充足，則骨髓充盈，骨骼得到骨髓的充分滋養，則堅固有力。如果腎精虛少，骨髓的化源不足，不能營養骨骼，便會出現骨骼軟弱無力，甚至發育不良，所以臨床所見小兒囟門遲閉、骨軟無力，常因腎精不足所致。牙齒與骨一樣，也是由腎精所充養，中醫稱之為「齒為骨之餘」。故凡小兒牙齒生長遲緩、成人牙齒鬆動或早期脫落，中醫認為均由腎精不足所致。發的營養雖源於血，但其生機卻根源於腎。因為腎藏精，精能化血，精血旺盛，則毛髮多而潤澤，即所謂「其華在發」。凡久病而見頭髮稀疏、枯槁、脫落，或未老先衰、早脫、早白者，多屬腎精不足和血虛。

五、調腎關乎根本

我們上面談到腎精對一個人的健康是至關重要的，所以中醫養生的重要內容都放在了保護腎精上。保護腎精簡單說來就是兩點，一是少耗散，一是多培補。腎臟保健要注意以下幾點：

飲食保健：腎臟本身需要較大量的蛋白質和糖類，有利於腎臟的飲食宜選擇高蛋白、高維生素、低脂肪、低膽固醇、低鹽的食物。高脂和高膽固醇飲食易產生腎動脈硬化，使腎臟萎縮變性，高鹽飲食影響水液代謝。常選用的食品，如瘦肉、魚類、豆製品、蘑菇、水果、蔬菜、冬瓜、西瓜、綠豆、赤小豆等。另外，適當配用一些鹼性食物，可以緩和代謝性酸性產物的刺激，有益腎臟保健。

節慾保精：精為人身三寶之一，保精是強身的重要環節。絕不可放縱性慾。自古就有「強力入房則傷腎」之說。

藥餌保健：體質虛弱者，可根據具體情況，輔以藥物保健。腎陽虛者，可選用金匱腎氣丸、右歸丸等，單味藥如鹿茸、海馬、紫河車、巴戟天、冬蟲夏草、核桃肉、肉蓯蓉等。腎陰虛者，可選用六味地黃丸、左歸丸等，單味藥如枸杞子、龜、鱉等。陰陽兩虛者，可選用全鹿丸、二仙湯等，單味藥如何首烏、山藥、黑芝麻等。藥物保健的要求，應做到陰陽協調，不可偏執。

保持小便通暢：小便通暢，在維持體內水液代謝平衡中起著關鍵性的作用。小便代謝障礙，會增加腎盂和腎實質發炎的機會，還可發生尿中毒或其他疾病。因此，要積極防治影響小便功能的疾患。服用某些易結晶的藥物，加磺胺類藥物，宜多喝水，並同時服用蘇打，使尿液變成鹼性，以免沉澱結晶。

預防腎臟感染：防止腎臟感染要從兩方面入手，一是防止逆行性尿道感染，方法是講衛生，適當多喝水；二是防止血液循環和淋巴循環的途徑感染腎臟。積極防治上呼吸道感染，皮膚感染，如對扁桃腺炎、齲齒、鼻竇炎、瘡癤，皮膚膿腫、結核病等，必須及時防治，以免引起腎臟感染。

舉一反三話「三焦」

三焦，為六腑之一，是上、中、下三焦的合稱。關於「焦」字的含義，歷代醫家認識不一。有認為「焦」當作「膲」者，膲為體內臟器，是有形之物；有認為「焦」字從火，為無形之氣，能腐熟水穀之變化；有認為「焦」字當作「樵」字，樵，樵也，節也，謂人體上、中、下三節段或三個區域。

《內經》首先提出三焦的名稱，作為六腑之一，並禪述了三焦的部位和功能。由於《內經》對三焦的某些具體概念的論述不夠明確，而且《難經》的二十五難和三十八難又提出了三焦「有名無形」之說，遂導致後世醫家爭論紛紜。爭論的焦點是關於有無實質形態的問題。

一、三焦有名有形有用

三焦是中醫藏象學說中的一個特有名詞，最早見於《內經》。由於《內經》對三焦的論述不夠明確，加之《難經》的二十五難和三十八難又提出了三焦「有名無形」之說，遂導致後世醫家對三焦爭論紛紜，莫衷一是。大多數人認為三焦包括六腑三焦和部位三焦兩個方面，並且多認為三焦有名有形有用。

在形態方面，一般認為三焦是包羅人體所有內臟的一個大腑，是上焦、中焦、下焦的合稱，為六腑（膽、胃、大小腸、膀胱、三焦）之一。張景嶽說「三焦有名有形，是貫穿於胸腑腔，包羅人體所有內臟的一個大腑」。其經脈與心包經相表裏。從整體來理解三焦的主要生理功能是主持諸氣，總司人體的氣化和運行水液等。

(一)主持諸氣，總司全身的氣機和氣化

「諸氣」，即全身所有之氣，例如臟腑之氣、經絡之氣、呼吸之氣、營衛之氣等。三焦主

持諸氣，是指三焦和各臟腑、經絡、組織器官的生理活動都有密切關係。三焦之所以能主持諸氣，主要是源於元氣。元氣根源於下焦，發源於腎，由先天之精所化。但元氣運行，只有借助於三焦之道路，方能布散、通達全身，從而激發、推動各個臟腑組織器官的功能活動。

「氣機」，即氣的運動，表現為氣的升降出入。三焦是氣升降出入的通道。「氣化」，是指各種物質的複雜變化，尤其是飲食水穀的受納、消化，以及營養物質的吸收、佈散和代謝後糟粕的傳導和排泄等。氣化過程是在多個臟腑參與下共同完成的，而三焦在氣化過程中發揮著極為重要的作用。三焦是運化水穀、排泄糟粕的通路，為全身精氣運行的始終。

此外，三焦通行元氣，為氣化功能的動力源泉，促進了人體的新陳代謝。

(二)為水液運行之通道

三焦具有疏通水道，運行水液的作用，是水液升降出入的道路，是參與水液代謝的臟腑之一。正如《素問》所說：「三焦者，決瀆之官，水道出焉。」這說明三焦的主要功能是完成人體津液氣化過程，保證水道通暢。如果三焦水道不利，則脾、肺、腎等臟腑調節水液的功能將難以實現，引起水液代謝的失常，水液輸布與排泄障礙，產生痰飲、水腫等病變。正如《類經‧藏象類》所說：「上焦不治，則水泛高原；中焦不治，則水留中脘；下焦不治，則水亂二便。」對此，常採用通利三焦之法治之。

（三）運行水穀

《素問‧金匱真言論》稱三焦為六腑之一，《素問‧五藏別論》稱三焦為傳化之府，其具有傳化水穀的功能。《素問‧六節藏象論》說：「三焦……倉廩之本，營之居也，名曰器，能化糟粕，轉味而入出者也。」指出三焦具有對水穀的精微變化為營氣，以及傳化糟粕的作用。《難經》明確提出三焦的運行水穀作用，如三十一難說：「三焦者，水穀之道路，氣之所終始也。上焦者，在心下，下膈，在胃上口，主內而不出。……中焦者，在胃中脘，不上不下，主腐熟水穀。……下焦者，當膀胱上口，主分別清濁，主出而不內。」水谷在人體運行道路及氣之所終始，包括飲食物的消化、精微物質的吸收、糟粕的排泄全部過程，用「三焦者，水穀之道路」來概括。並根據上、中、下三焦所處部位不同，對水穀運行過程中所起的作用也就不同，而有上焦主納，中焦主腐熟，下焦主分別清濁、主出的具體描述。這是以三焦運行水穀來概括飲食物的消化、吸收及排泄的功能。

二、上、中、下焦，各司其職

在中醫理論中，從局部上來理解三焦，三焦也是劃分軀體部位的一個概念，即膈以上部位為上焦，包括心、肺；膈以下、臍以上的部位為中焦，主要包括脾胃；臍以下為下焦，包括肝、腎、大小腸、膀胱、女子胞等。其中肝臟，按其部位來說，應劃為中焦，但中醫學認為，肝腎同源，生理病理關係密切，故將肝腎同劃為下焦。由於上焦、中焦、下焦包括不同臟腑，所以其生理功能也各不相同。

（1）上焦如霧

「霧」，是指水穀精微物質的一種彌漫蒸騰狀態。上焦如霧指上焦有宣發衛氣，以霧露彌漫的狀態營養於肌膚、毛髮及全身各臟腑組織的作用。故上焦的功能，實際展現為心肺的氣化輸布作用，關係到營衛氣血津液等營養物質的輸布，所以，上焦功能的變異，也主要反映為心肺功能之異常，治則以調理心肺為主。

（2）中焦如漚

「漚」，在這裏是指飲食物經腐熟和發酵狀態的形象。中焦如漚是指中焦脾胃對水穀精微的運化。中焦的功能主要是指脾胃的生理功能，例如水穀的受納、消化，營養物質的吸收，體液的蒸化，化生精微為血液等。《靈樞‧營衛生會》說：「中焦……此所受氣者，泌糟粕，蒸津液，化其精微，上注於肺脈，乃化而為血，以奉生身。」實際上中焦為氣機升降之樞紐，氣血生化之源。所以，中焦的功能被形容為「如漚」。中焦功能的變異，主要反映為脾胃功能的異常，治則以調理脾胃為主。

（3）下焦如瀆

「瀆」，即水溝，為排水管道之意。下焦主泌別清濁，排泄二便，這個過程實際上包括了腎、小腸、大腸、膀胱的功能。故下焦功能的變異，主要反映為腎與膀胱功能的異常，治則以調理腎與膀胱為主。

對下焦主「分別清濁」的認識，包括以下內容：

一是就腎與膀胱的功能而言，水液在腎與膀胱的氣化作用下，有用的水液(清者)，固攝於體內，無用的水液(濁者)，成為小便而排出體外。此清、濁，指有用水液與無用水液（尿）。故《靈樞・營衛生會》概括為「下焦如瀆」。所謂「如瀆」，是形容下焦腎與膀胱排泄水液作用，猶如疏通溝渠，使水濁不斷外流的狀態。即是腎與膀胱的生成和排泄小便的作用。

二是就大小腸的功能而言，水穀通過小腸的化物、泌別與大腸的傳導、變化，將精微物質(包括水液)吸收，糟粕形成大便而排出體外。此清、濁，是指精微與糟粕。

三是根據《靈樞・營衛生會》所說：下焦使水穀「成糟粕」，「下於大腸」，「泌別清濁」，循下焦而滲入膀胱，以及《難經・三十一難》所說：下焦「主分別清濁，主出而不內」，認為清與濁相對而言，清指小便，濁指大便，皆為糟粕。

在生活中有些小兒腹瀉，夾雜不消化食物，我們通過通利小便治療，就是從下焦「分別清濁」中得到的啟發。某些西醫大夫用利尿劑治療腹瀉就是這個道理。

三、三焦辨證統領熱病防治

三焦辨證為防止傳染病做出了巨大貢獻，而將這一辨證方法在立法上革新和理論上完善的是吳鞠通。

吳鞠通，是中國清代醫學家。名塘。青年時攻科舉習儒，十九歲時父親病故，他心中悲憤，以為「父病不知醫，尚複何顏立天地間」，感到為人子而不懂得醫學，就無法盡孝，於是他立志學醫。四年後，他的侄兒患了喉疾，請了大夫以後，使用冰硼散吹喉，可病情反而加重了，又請來幾位大夫，胡亂治了一番，竟然全身泛發黃疸而死。吳鞠通當時學醫未成，深感痛心疾首。後被選副貢入京，參與《四庫全書》醫書部分的抄寫檢校工作，讀了吳又可《溫疫論》深受啟發，又研讀晉唐以降各家學說，奠定了良好的醫學基礎。乾隆五十八年（一七九三）京都大疫流行，不少病人因治療不當而死亡，吳鞠通利用葉天士之法奮力搶救，搶救了數十病人，名聲大振。

吳鞠通有感於當時醫生墨守傷寒治法不知變通，撰寫《溫病條辨》七卷，提出溫病的三焦辨證學說，對溫病學說貢獻很大，是繼葉天士、薛雪之後的溫病學派重要代表人物。他曾在北京檢核《四庫全書》，得見其中收載了吳又可的《溫疫論》，深感其論述宏闊有力，發前人之所未發，極有創見，又合於實情，便仔細研究，受到了很大的啟發。他對葉天士更是推崇，但認為葉氏的理論「多南方證，又立論甚簡，但有醫案散見於雜證之中，人多忽之而不深究。」於是他在繼承了葉天士理論的基礎上參古博今，結合臨證經驗，撰寫了《溫病條辨》七卷，對溫熱病學說做了進一步的發揮。自吳鞠通以上、中、下三焦論述溫病的證治以來，外感熱病的治療開始進入了一個新階段。

他認為溫病有九種，吳又可所說的溫疫是其中最具傳染性的一種，除此之外，另外還有其他八種溫病，可以從季節及疾病表現上加以區分，這是對於溫病很完整的一種分類方法。書中創立了「三焦辨證」的學說，這是繼葉天士發展了張仲景的六經辨證，創立衛氣營血辨證方法之後，在中醫理論和辨證方法上的又一創舉。

「三焦辨證」法：就是將人體「橫向」地分為上、中、下三焦。上焦以心肺為主，中焦以脾胃為主，下焦包括肝、腎、大小腸及膀胱。由此創立了一種新的人體臟腑歸類方法，此法十分適用於溫熱病體系的辨證和治療，診斷明確，便於施治。而且確立了三焦的正常傳變方式是由上而下的「順傳」途徑，「溫病由口鼻而入，鼻氣通於肺，口氣通於胃，肺病逆傳則為心包，上焦病不治，則傳中焦，胃與脾也；中焦病不治，則傳下焦。始上焦，終下焦。」因而，由傳變方式也就決定了治療原則：「治上焦如羽，非輕不舉；治中焦如衡，非降不安；治下焦如漚，非重不沉。」同時，吳氏對《傷寒論》的六經辨證，同樣採取了積極採納的態度，認為「傷寒六經由表入裏，由淺入深，須橫看；本節論三焦，由上及下，亦由淺入深，須豎看。」這些理論，雖然從立論方式和分析方法上有所不同，但實際上仍是對葉天士的衛氣營血辯證法的繼承，並對其進行了很大的發展，尤其是在對疾病變化的認識上，是可以權衡協調的，二者並無矛盾之處。同時，三焦辯證法也完善了葉天士衛氣營血說的治療法則。葉氏的《溫熱論》中沒有收載足夠的方劑，而吳鞠通的另一重大貢獻，就是在《溫病條辨》當中，為後人留下了許多優秀的實用方劑，像銀翹散、桑菊飲、藿香正氣散、清營湯、清宮湯、犀角地黃湯等等，都是後世醫家極為常用的方劑。現在臨床上使用的方子，《溫病條辨》方佔十之八九。

四、「知法善任」治三焦

行兵佈陣要知人善任，用藥如用兵。治療疾病要想取得好的效果，就要熟悉疾病的性質和治療方法的特點合理選擇，這叫「知法善任」。早在二千多午前的中醫古籍《內經》裏就有「因其輕而揚之；因其重而減之；因其衰而彰之」、「其高者，因而越之；其下者，引而竭之」等治療法則。這裏的「輕」、「重」、「衰」、「高」、「下」等都是疾病的「勢」（性質），根據各種不同的情況採取相應的治療措施，便是「因勢利導」的展現。

上焦病證包括風熱襲表證，症見發熱，微惡風寒，頭痛咳嗽，口微渴，舌苔薄白，脈浮數。熱邪壅肺證，症見發熱汗出，咳嗽氣喘，口渴，苔黃脈數。邪陷心包證，症見發熱，神昏譫語，舌蹇肢厥，舌質紅絳，苔黃或黃膩，脈滑而數。涵蓋心包、肺兩髒病變。邪在上焦，因其部位高，而且近於體表，故治療也應選用輕清宣散，或芳香清化之品。其藥性輕薄，如同鳥之羽毛一樣，能輕揚浮散而祛邪於外，寓「輕以去實」之意，此即「治上焦如羽，非輕不舉」之意。藥物主要用其葉，如桑葉、枇杷葉、荷葉、蘇葉、薄荷葉、竹葉等；花如菊花、金銀花、辛夷花等；有升浮之性藥如升麻、浮萍、桔梗、蟬蛻、柴胡等；質地輕浮如桂枝、麻黃、荊芥、牛蒡子、木賊等。代表方劑就是吳氏所研製的銀翹散、桑菊飲、桑杏湯等治上焦溫病的名方。但又不可拘泥於此，凡上焦病變暑邪熱壅肺者用麻杏石甘湯證，屬痰熱結胸者小陷胸加枳實湯證。

中焦病證包括胃經熱熾症，症見壯熱不惡寒，反惡熱，面赤氣粗，汗出口渴，舌苔黃燥，脈象洪大。腸道熱結證，症見發熱，日晡尤甚，甚則神昏譫妄，腹脹便秘，小便短赤，苔黃黑焦燥，脈沉而有力。濕熱困脾證症見身熱不揚，不為汗解，纏綿難愈，胸悶脘痞，嘔惡欲吐，身重肢倦，苔膩脈濡。邪在中焦，因其部位位於上、下之間，是升降出入的樞紐，故治療方法就需升降適宜，其用藥既不可偏於太輕，也不能過於重濁，而是要像「秤桿」（衡）那樣平衡而均勻，這就是治「中焦如衡，非平不安」的含義。故治療時應針對濕熱輕重之不同，臟腑功能之所偏，用藥物之藥性、歸經及功能糾正其偏。陽明燥熱，則通腑泄熱，方用三承氣湯；太陰濕熱，則清熱化濕，方用三仁湯。

下焦病證包括熱耗腎陰證，症見發熱，夜熱早涼，或午後熱甚，顴紅，口乾咽燥，精神倦怠，手足心熱甚於手足背，舌質光紅，舌體瘦小，脈沉細數。陰虛動風證，症見手足蠕動或抽動，神情倦怠，心悸，或見舌體瘦小顫動，脈沉細弱。邪在下焦，由於病位偏低，在裏在下，故用藥上無論攻補，都應當選用像「秤砣」（權）那樣質重味厚的藥物，才易於抵達病所，此即「治下焦如權，非重不沉」的含義。代表方劑加減複脈湯、三甲複脈湯等。

此外，溫病其他許多證候亦都可以歸納入三焦病證的範圍之內，如溫熱犯衛證、燥熱犯衛證、痰熱壅肺證、燥熱傷肺證、熱鬱胸膈證等等，均屬於上焦病範疇。熱鬱膽經證、暑傷氣津證等，屬於中焦病之列。氣熱動風證、營熱動風證、熱入營分證、血熱動血證、血熱動風證等，屬於下焦病的範疇。

如果不注意這個升浮、沉降的特性，治療上焦病，你選擇質地重墜的沉降藥，治療下焦病，你卻去選擇質地輕揚的升浮藥，這就好比你想在水面游泳時，偏要在你身上綁上一塊大石頭，而你想潛到水底時，偏要給你套上救生圈，你說這是一種什麼滋味？

「無線自通」的「經絡」

中醫的經絡學說已同「UFO」及「百慕達」等現象被世人列為當今世界的科學之謎。隨著科學技術的不斷進步，人們越來越渴望認識經絡的物質基礎，看看經絡到底是個什麼樣子？

經絡的存在是毋庸置疑的。就像手機之間的無線通話，資訊的傳遞是客觀存在的，只是看不到，摸不著而已。

一、經絡是古人標記的助記線

完整地說，經絡應該分成兩部分，一是穴位，二是連接這些穴位與人體的資訊通道——經絡線。穴位雖看不到，但能感覺到，已經成為不爭的事實，得到大家的認同。所以這裏不說穴位只說經絡線。

但是經絡到目前為止還沒有找到，這個「找」包括目前能用的物理和化學手段，於是有許多人懷疑它的存在。經絡是什麼？答曰：經絡是古人的助記線。正確地說，現在我們用的經絡線是宋朝以後提供給人們的助記線。

為什麼要用宋朝來劃分呢？這是因為宋朝太醫署有個針灸銅人，身上標有經絡線。銅人按照中醫的論述對穴位和走行路線進行了準確標記。

經絡包括經脈和絡脈。經，有路徑之意。經脈貫通上下，溝通內外，是經絡系統的主幹。絡，有網路之意。絡脈是經脈別出的分支，較經脈細小，縱橫交錯，遍佈全身。經絡內屬於臟腑，入絡於肢節，溝通於臟腑與體表之間，將人體臟腑、組織、器官聯結成為一個有機的整體，並借此行氣血、營陰陽，使人體各部的功能活動得以保持協調和相對平衡。

「經絡」一詞首先見於二千五百年前的《黃帝內經》。《靈樞・邪氣臟腑病形》說：「陰之與陽也，異名同類，上下相會，經絡之相貫，如環無端。」又如《靈樞・脈經》中說：「經脈者，所以能決死生，處百病，調虛實，不可不通。」經絡是氣血運行的通道。只有經絡通暢，氣血才能川流不息地營運於全身。只有經絡通暢，才能使臟腑相通、陰陽交貫，內外相通，從而生氣血、布津液、傳糟粕、禦精神，以確保生命活動順利進行，新陳代謝旺盛。所以說，經絡以通為用，經絡通暢與生命活動息息相關。一旦經絡阻滯，則影響臟腑協調，氣血運行也受到阻礙。因此，《素問・調經論》說：「五臟之道，皆出於經隧，以行血氣，血氣不和，百病乃變化而生」。所以，暢通經絡往往作為一條養生的指導原則，貫穿於各種養生方法之中。

二、人體經絡系統

經絡系統，由經脈、絡脈、十二經筋和十二皮部所組成。經絡在內能連屬於臟腑，在外則連屬於筋肉、皮膚。

經脈按性質又可分為正經和奇經兩類。正經有十二，即手足三陰經和手足三陽經，合稱「十二經脈」，是氣血運行的主要通道。奇經有八條，即督、任、沖、帶、陰蹺、陽蹺、陰維、陽維，合稱「奇經八脈」，有統率、聯絡和調節十二經脈的作用。十二經別，是從十二經脈別出的經脈，主要是加強十二經脈中相為表裏的兩經之間的聯繫，還由於它通達某些正經未循行到的器官與形體部位，因而能補正經之不足。

（一）經絡中的主幹道——十二經脈

十二經脈又名十二正經，是經絡系統的主體。其命名是根據其陰陽屬性，所屬臟腑、循行部位綜合而定的。它們分別隸屬於十二臟腑，各經用其所屬臟腑的名稱，結合循行於手足、內外、前中後的不同部位，並依據陰陽學說，給予不同的名稱。十二經脈的名稱為：手太陰肺經、手厥陰心包經、手少陰心經、手陽明大腸經、手少陽三焦經、手太陽小腸經、足太陰脾經、足厥陰肝經、足少陰腎經、足陽明胃經、足少陽膽經、足太陽膀胱經。

十二經脈通過手足陰陽表裏經的連接而逐經相傳，構成了一個周而復始、如環無端的傳注系統。氣血通過經脈即可內至臟腑，外達肌表，營運全身。其流注次序是：手太陰肺經→手陽明大腸經→足陽明胃經→足太陰脾經→手少陰心經→手太陽小腸經→足太陽膀胱經→足少陰腎經→手厥陰心包經→手少陽三焦經→足少陽膽經→足厥陰肝經→手太陰肺經。

十二經脈在體表的循行分佈規律是：凡屬六髒（心、肝、脾、肺、腎和心包）的陰經分佈於四肢的內側和胸腹部，其中分佈於上肢內側的為手三陰經，分佈於下肢內側的為足三陰經。凡屬六腑（膽、胃、大腸、小腸、膀胱和三焦）的陽經，多循行於四肢外側、頭面和腰背部，其中分佈於上肢外側的為手三陽經，分佈於下肢外側的為足三陽經。手足三陽經的排列順序是：「陽明」在前，「少陽」居中，「太陽」在後；手足三陰經的排列順序是：「太陰」在前，「厥陰」在中，「少陰」在後（內踝上八寸以下為「厥陰」在前，「太陰」在中，「少陰」在後）。

（二）經絡中的要衝——奇經八脈

奇經八脈與十二正經不同，既不直屬臟腑，又無表裏配合關係，其循行別道奇行，故稱奇經。其功能一是溝通十二經脈之間的聯繫，二是對十二經氣血有蓄積滲灌等調節作用。

任脈，行於腹面正中線，其脈多次與手足三陰及陰維脈交會，能總任一身之陰經，故稱：「陰脈之海」。任脈起於胞中，與女子妊娠有關，故有「任主胞胎」之說。

督脈，行於背部正中，其脈多次與手足三陽經及陽維脈交會，能總督一身之陽經，故稱為「陽脈之海」。督脈行於脊裏，上行入腦，並從脊裏分出屬腎，它與腦、脊髓、腎又有密切聯繫。

沖脈，上至於頭，下至於足，貫穿全身；成為氣血的要衝，能調節十二經氣血，故稱「十二經脈之海」，又稱「血海」。同婦女的月經有關。

帶脈，起於季脅，斜向下行到帶脈穴，繞身一周，如腰帶，能約束縱行的諸脈。

陰蹺脈、陽蹺脈：蹺，有輕健蹺捷之意。有濡養眼目、司眼瞼開合和下肢運動的功能。

陰維脈、陽維脈：維，有維繫之意。陰維脈的功能是「維絡諸陰」；陽維脈的功能是「維絡諸陽」。

十二經別

十二經別是十二正經離、入、出、合的別行部分，是正經別行深入體腔的支脈。十二經別都是從十二經脈的四肢部位別出，陽經經別合於本經，陰經經別合於相表裏的陽經。它有三個方面的生理功能：

（1）加強了十二經脈中相為表裏的兩條經脈在體內的聯繫；

（2）別絡對其他絡脈有統率作用，加強了人體的內部聯繫；

（3）灌注氣血濡養全身。

絡脈

絡脈是經脈的分支，有別絡、浮絡和孫絡之分。別絡是較大的和主要的絡脈。十二經與督脈、任脈各有一支別絡，再加上脾之大絡，合為「十五別絡」。別絡具有加強相為表裏兩經脈之間在體表的聯繫。浮絡是循於人體淺表部位而常浮現的絡脈。孫絡是細小的絡脈。連屬部，包括經筋和皮部，是十二經脈與筋肉和體表的連屬部分。

上面是中醫理論對經絡的描述，估計很多讀者看到這裏會覺得更加迷惑了。其實我們可以這樣通俗的來理解經絡：如果把我們的身體比作大地的話，經絡就像分佈在大地上的河流、湖泊。十二正經就像長江、黃河等等大的河流，相間分佈在大地上；而絡脈則像它們的分支，貫穿於每一塊土地上；奇經八脈剛好像散落在河流之間的湖泊，調節與它們相通的河流的水量；流動於經脈中的氣血就像是河水，滋潤灌溉著每一塊土地。好了，在這個基礎上我們就可以很好的理解疾病是怎麼回事。疾病其實就是經絡及其所連屬的臟腑和肌肉、皮膚等部位的氣的偏盛偏衰。氣偏盛就是實病，氣偏衰就是虛病，比如，一個人生氣發怒，肝經的氣就多了，產生了肝火，就是實病，老年人腎經的氣少了就是虛病，就像土地一樣，水多了是澇災，水少了是旱災。

當然並不是說氣多了、少了就一定會產生疾病。就像河床有一定的容量一樣，經絡也有調節的限度，只有超出了這個限度才會產生疾病。

人爭一口「氣」，「氣」是什麼東西

中醫所講的氣與自然界中的氣既有聯繫也有區別，中醫認為人體中的「氣」是不斷運動著的具有很強活力精微物質

我們中醫所講的氣與自然界中的氣既有聯繫也有區別，中醫認為人體中的「氣」是不斷運動著的具有很強活力精微物質，這一概念，主要有兩方面內容：一是指人體內流動著的精微物質；二是指機體中各個器官的功能活動。正常的生理之氣包括元氣、宗氣、營氣、衛氣；氣的功能活動異常即是病理變化，氣之為病，範圍較廣，常見的有氣虛、氣滯、氣鬱、氣逆等。

一、正常的「氣」

由於人體的氣分佈於不同的部位，有不同的來源與功能特點，因而名稱也不同。一般來講，主要指下列四種：

元氣：又叫「原氣」、「真氣」。它是人體生命活動的原動力，對各臟腑組織功能的發揮起到激發作用。我們可以通過人體的生長狀況和其他臟腑功能判斷元氣的盛衰。它就相當於火車的蒸汽機了？「是的。蒸汽機工作正常，火車正常運行，車上的水電也才能發揮作用」。

宗氣：這種氣存在於胸中，與自然界中的空氣聯繫最直接。是由肺吸入的自然界中的空氣和食物消化後的精微物質結合生成，主要功能是推動肺的呼吸和血液循環，不僅對呼吸和心跳有推動作用，而且與視聽、言語、各種活動都有關，所以有人把它稱為「動氣」。

營氣和衛氣：因為兩者都是由食物消化吸收的營養物質所化生，所以把它們一起介紹下。營氣分佈於血管中，是血液的組成部分，隨血液循環周行全身而發揮營養作用；衛氣的分佈，不受脈管約束，運行於經脈之外，無處不到，發揮「保衛」作用。具體講就是：保護肌表，抵禦外邪侵襲；控制汗孔開合，調節體溫；溫煦臟腑，潤澤皮毛。就像一個莊園，營氣是辛勤的園丁，衛氣則是莊園的柵欄和守護神。

綜合起來說，分佈在不同部位的氣，生成來源也略有不同，但總的來說，不外乎稟受於父母的先天之精氣，脾胃化生的水穀之氣和經肺吸入的自然界清氣。氣生成多少，與先天之精氣是否充足，飲食營養是否豐富，肺脾腎三髒功能是否正常密切有關。其功能隨部位不同各有其功能特點，概括起來主要有六個方面：推動作用——推動氣血津液運行，有助人體生長發育；溫煦作用——維持正常體溫；防禦作用——抗拒外邪；固攝作用——控制體液排泄，約束血液循環；營養作用——脾胃化生的水穀精氣（營氣）與津液結合形成血液，經脈管運往全身而發揮的生理作用。最後還有一個功能那就是「氣化作用」，所謂氣化是指通過氣的運動產生的各種變化，即精、氣、血、津液的各自新陳代謝及其相互轉化，氣的氣化作用是維持機體正常新陳代謝過程的基礎。

「過去提到氣，我一直認為是文學家筆下的氣質個性、思想感情、智慧才能，是哲學家的法則，沒想到在中醫學裏內容還真博大，看樣子我是宗氣虛為主了。」

二、氣的運行

前面已經提到人體中的「氣」是不斷運動著的具有很強活力的精微物質，通過運動流行全身，發揮作用。氣的運動，簡稱氣機。機，原指古代弩箭上的發動機關，引申為事物的關鍵、樞紐。在這裏引用它是突出氣機在生命活動中的重要性。

不同的氣，有不同的運動形式。而「升降出入」是氣運動的基本形式。人的臟腑、經絡等組織器官，都是氣的升降出入場所。氣的升降出入運動，是人體生命活動的根本，一旦停止，也就意味著生命的終止。氣的升降出入運動，推動和激發了人體生命活動。例如肺的呼吸功能，呼是氣出，吸是氣入；宣發是升，肅降是降。又如脾胃和腸的消化功能，以脾主升清，胃主降濁來概括整個機體對食物的消化功能、吸收、輸布和排泄的全過程，等等。因此，機體的各種生理活動，實質上都是氣升降出入的具體展現，氣的升和降、出和入，是一對矛盾運動。從局部看，並不是每一種生理活動，都必須具備升降出入，而是各有側重。譬如肝、脾主升，肺、胃主降。但從整個機體的各種生理活動來看，則升和降、出和入之間必須協調平衡，才能維持正常的生理活動；中醫學把這種氣的升降出入運動之間的協調平衡狀態，稱作「氣機調暢」。

三、氣的病理變化

氣的病理變化有三個方面的原因，一是氣的化生不足，如先天稟賦不足，則先天之精氣來源匱乏；脾胃虛弱，則水穀之精氣不足；肺虛則吸入精氣不足。二是氣的消耗過度，如過於勞倦、外感熱病，或慢性消耗性疾病，均可使氣消耗過多，而致氣虛。由於氣與肺、脾、腎三髒關係最為密切，因此，氣虛雖然有五臟六腑之分，而以肺、脾、腎氣虛為多見；三是氣的升降出入運動的平衡失調。

表現為氣虛、氣滯、氣鬱、氣逆、氣閉、氣陷、氣脫。

氣虛，是指氣不足導致臟腑組織功能低下或衰退，抗病能力下降的病理狀態。氣虛的病理表現可以涉及到全身的各個方面，有全身氣虛和局部氣虛之分，如臟腑之氣虛、元氣虛、衛氣虛、中氣虛、經絡氣虛等。由於氣的來源、循行部位及生理功能不同，因此，氣虛的表現十分複雜多樣。從臨床來看，氣虛的主要症狀有精神委頓、倦怠、四肢乏力、自汗、易於感冒、頭痛、眩暈、咳喘、水腫、麻木、心悸、腹痛、呃逆、脫肛、尿頻、出血、陽痿、中風、癱瘓等。

氣的升降出入的平衡失調狀態，被稱作「氣機失調」。「氣機失調」的具體表現形式有：「氣機不暢」，即由於某些原因引起氣的升降出入運動受到阻礙；「氣滯」，即在某些局部發生阻滯不通，生悶氣後腹脹脅痛我們叫肝氣鬱滯；「氣逆」，即氣的上升太過或下降不及，像三國周瑜大怒吐血而死就是典型的事例；「氣陷」，為氣的上升不及或下降太過，像脫肛即屬中氣不升；「氣脫」，是指氣不能內守而外逸，常見大汗淋漓、四肢發涼，往往出現在疾病的轉折關頭；「氣結」，則是氣不能外達而結聚於內，程度不同的還有「氣鬱」、「氣閉」。

血汗同源

大家知道，感冒發燒，體溫往往隨汗而降，但有時體溫也會隨著鼻衄而解；大出血的病人最後是冷汗淋漓而暴亡。生活中人們常把「血汗」同用，如「流血流汗」，掙「血汗錢」。難道血與汗果真有緣嗎？

一、感冒鼻衄莫驚慌——不得汗解，必得衄解

鼻流血醫學稱「鼻衄」，多由於「肺燥血熱」，引起鼻腔乾燥，毛細血管韌度不夠，破裂所致。如不及時治療，遷延發展，將會產生嚴重的後果，如鼻黏膜萎縮、貧血、記憶力減

退、視力不佳、免疫力下降，甚至會引起缺血性休克，危及生命。但有一種情況卻是例外。

一個寒假，我去探視六十四歲的一位老人。聽說老人感冒已經七天，鼻塞聲重，不出汗，一直不見好轉。趕到他家時，已是午後三點了。只見來了很多人，個個悶頭不語，我意識到患者病情有變。原來，自今日下午開始老人體溫突然升高至三十八點六度，骨節疼痛，極度心煩，閉著眼睛不願見人。看到這種情況家屬有些沉不住氣，催促大夫用退燒藥。可當地的老中醫把脈後，又觸摸了一下皮膚，慢悠悠地掛上一瓶葡萄糖，說是風寒感冒，先熬點小米粥喝再說。那時候我剛出茅廬不敢造次，心想等等看也好，看他葫蘆裏到底賣什麼藥。

傍晚，意想不到地事情出現了。病人出現鼻腔流血不止，血色鮮紅。大家立刻緊張起來，「大夫，怎麼加重了?」可老中醫站起來，用棉球作了簡單的處理，長舒了一口氣，面帶微笑地說：「馬上就好了。」果然，一小時後體溫逐漸下降，病人情緒好轉。

席間我詢問緣由，老先生慢條斯理的背誦了一段經文：「太陽病，脈浮緊，無汗，發熱，身疼痛，八九日不解，表證仍在，此當發其汗，服藥已微除，其人發煩目瞑，劇者必衄，衄乃解。所以然者，陽氣重故也，麻黃湯主之。」病人得病雖然一周多，用過西藥，可一直不出汗，所以全身不舒絲毫未見緩解，這是表實證存在的鐵證；今日發熱身痛目瞑心煩都具備，皮膚不潮濕（說明身體無汗），再加脈浮緊，就是典型的太陽風寒表實證。因為病人年紀偏大，我先用小米粥和葡萄糖增加正氣和汗源，靜觀待變；沒效果再給予麻黃湯。最後邪氣外散只有兩條路：要麼出汗，要麼鼻衄，這就叫「不得汗解，必得衄解」。聽了老先生的一番分析，疑問頓時冰釋。真是「熟讀王叔和，不如臨症多」。

鼻衄既有局部的原因，也有全身的因素，並與季節氣候有關。高原地區或初春、秋末氣候乾燥，鼻黏膜乾燥結痂，使血管易於破裂。所以初春和秋末多有發病，但冬季鼻衄卻較嚴重。至於為什麼在冬天流鼻血特別嚴重，這主要是因為在寒冷的天氣下，我們喜歡吃一些熱騰騰的食物，在進食時，陣陣的熱氣會令鼻腔內的血液加速運行，若鼻黏膜天生較薄或曾經受傷，則容易流鼻血。此外，在寒冷乾燥的環境下，我們需要更多血液流經鼻腔，以提高溫度和濕度，鼻黏膜的微絲血管因而容易充血，引致流鼻血。冬季風寒感冒高燒，鼻腔流血其實是多了條驅邪的出路。

二、汗是心液，印證「心功能」

中醫認為汗是津液的組成部分，是陽氣蒸化津液從玄府出於體表而成，《內經》說「陽加之陰謂之汗」，就是說出汗不僅有津液還要有陽氣，二者缺一不可。所以說「腠理發洩，汗出溱溱是謂津。」正常的排汗有調和營衛，滋潤皮膚等作用；在炎炎夏日，身體出汗還可緩解人們浮躁的情緒，使人有種神清氣爽的感覺，因為「汗為心之液」。

為了進一步理解心與汗之間的關係，我們可從曾經報導的一例盜汗病例細細品味。患者六十五歲，怪異得很，每於夜眠後，以心口窩為圓心，直徑約十五～二十釐米的一個圓形範圍內出汗，上不至頸，下不及臍，夜間需換衣二三次，不換則如濕巾貼心冰冷一塊，難以入眠。因為此病屢屢求醫，查無可查，治無可治，毫不誇張地說，求盡西醫名醫，也絕對無從下手。因為現代科學體系的理論，在這裏沒有用武之地，只好靠中醫來治療。

作者的分析是這樣的：該患者怪異之一，出汗不是全身，僅在心口周圍，汗跡如古戰袍之護心寶鏡，這是由於此處陽氣能夠蒸發陰津，使陰津出而為汗。那為何此處陽氣就能蒸發陰津而別處不能？因為心口周圍是心君所居之地，心屬火，人身陰陽是以心火與腎水為代表，心火所在之地，陽氣自然較他處略勝一籌。而其他地方陰津勢盛，遏制陽氣，自然氣化不利而無汗。怪異之二，為何是盜汗而不是自然出汗？通常中醫認為盜汗是陰虛，陰虛者才盜汗。而作者認為白天陽氣旺，氣化正常，若出汗自然是全身汗出，夜間陰氣盛，陽氣受到遏制，唯心君所處的區域有陽氣護衛，陽旺而蒸津為汗，所以夜間出現心口一片汗出而別處無汗的怪現象。病機分析到了，接下來就是用藥。用什麼方劑呢？當然是仲景的五苓散。五苓散專治氣化不利，專治此處水多，彼處水少之證。當即處以五苓散原方，不另增減。一劑即效，三劑而愈。

三、津血同源與血汗同源

出汗和流鼻血都是驅邪外出的途徑，二者之間似有異曲同工之妙，它們必有一定的聯繫。

中醫認為血液是循行於脈管中的紅色液體，內至五臟六腑，外達皮肉筋骨，具有營養滋潤作用和藏神功能。津液布散於體表，潤澤皮毛肌膚；進入體內滋養臟腑；輸注於空竅滋潤眼鼻口等空竅；流入關節能滑利關節；滲入骨髓就能滋潤和充養骨髓和腦竅。

因為血和津液都是由水穀精氣所化生而來的，全身組織中的津液注於脈中即成為血液的組成部分；而血液如滲出脈外，則成為津液，而津液滲出皮毛則為汗。血與津液均是液態物質，均有滋潤和營養作用，與氣相對而言，二者均屬於陰，在生理上相互補充，病理上相互影響，所以說三者密不可分，為同源所化，有為「津血同源」之說。古人講「血汗同源」只是一個存在於體內，一個排泄於體外而已。

（一）血化津：血對津液的作用

運行於脈中的血液，滲於脈外便化為有濡養作用的津液。全身「十二經脈，三百六十五絡，其血氣皆上於面而走空竅，……其氣之津液，皆上熏於面。」當血液不足時，可導致津液的病變。如血液瘀結，津液無以滲於脈外，以濡養皮膚肌肉，則肌膚乾燥粗糙甚至甲錯。失血過多時，脈外之津液滲入脈中以補償血容量的不足。因之而導致脈外的津液不足，出現口渴、尿少、皮膚乾燥無汗等表現。此時，不能對失血者再使用發汗的治療方法，以防津液與血液進一步耗竭的惡性後果。所以，中醫有「奪血者無汗」，「衄家不可發汗」，「亡血者，不可發汗」之告誡。

(二) 津化血：津液對血的作用

津液和血液同源於水穀精微，被輸布於肌肉、腠理等處的津液，不斷地滲入孫絡，成為血液的組成成分。所以，有「津血同源」之說。汗為津液所化，汗為心之液，心主血。汗出過多則耗津，津耗則血少，故又有「血汗同源」之說。如果津液大量損耗，不僅滲入脈內之津液不足，甚至脈內之津液還要滲出於脈外，形成血脈空虛、津枯血燥的病變。所以，對於多汗奪津或精液大量丟失的患者，此時不能再用放血療法或破血逐瘀之峻劑，以防血液和津液的進一步耗傷，故《靈樞・營衛生會》有「奪汗者無血」（出汗過多的人血少）之說。

（三）津血互致的病變

血與津液均是周流於全身的液態物質，不僅同源於水穀精微，而且在運行輸佈過程中相輔相成，互相交會，津可入血，血可成津，「水中有血，血中有水」，「水與血原並行而不悖」（《血證論》），共同發揮其滋潤、營養作用。在病理上血與津液又相互影響，「孫絡水（今改作外）溢，則經有留血。」（《素問・調經論》）「經為血，血不利則為水，名曰血分。」（《金匱要略・水氣病脈證並治》）血能病水，水能病血。水腫可導致血瘀，譬如肝硬化腹水合併食道、腹壁靜脈曲張；血瘀亦可導致水腫，例如下肢深靜脈血栓形成表現為疼痛腫脹，這是臨證屢見不鮮的。淤血也可是水腫形成後的病理產物，而水腫則往往有淤血見證。「汗出過多則傷血，下後亡津液則傷血，熱結膀胱則下血，是水病而累血也。」（《血證論》）這裏唐容川把汗、津液以及膀胱所藏之液均歸於水類。這種陰水過多地損耗必然使陰血發生虛或瘀的變化。

「吐血咳血，必兼痰飲，血虛則精竭水結，痰凝不散，失血家往往水腫，淤血化水，亦發水腫，是血病而兼水也。」（《血證論》）例如心咳、肺咳，往往可以繼發水腫，也就是現代醫學所稱的充血性心衰和肺源性心臟病。另外，血、水還可以同時發病，例如婦女經閉水腫、外傷瘀血水腫等。由於血液與津液在病理上常互相影響而並存，故在治療上應注意水病治血、血病治水、水血兼顧等。

四、大出血又冷汗——不可掉以輕心

在著名中醫案中記載了這樣一個病例：閻某某，男，二十一歲。平常有鼻衄的毛病，初未介意。有一天，因長途出車，三日始歸家，當晚六時許開始鼻腔出血，……歷時五個多小時不止，家屬惶急無策，深夜叩診。往視之，見患者頭低垂在枕頭上，鼻血仍滴瀝不止，炕下放置了一個銅盆，血盈其半。只見患者面如白紙，額頭有汗珠，靠近他只感到冷氣襲人，撫之皮膚不溫，問話不答，脈若有若無，神志已失。急忙開了付甘草乾姜湯：甘草九克，炮乾薑九克。即刻水煎令服，二小時後手足轉溫，神智逐漸轉清，脈漸遲，能說話，鼻衄也停止。第二天早晨又給予阿膠十二克，水煎服日二次。後追訪，未復發。

從這個患者素有衄血病史知道，病人身體虛弱，加上長途奔波，事情不順，肝氣大升，遂至血出如湧。然此例出血過多，陰液驟失，陽氣無所依附，又值夜半，陽氣暴亡之象畢現，如單純應用補血、止血之法，陰血也許可以暫時挽回而陽氣將最終難以恢復，變化發生於頃刻之間。存亡之時，只希望迅速恢復其陽氣，等待手足溫暖，脈搏續出，神智清醒之後，再慢慢調理也不遲。給予甘草乾姜湯目的即是這個意思。雖然甘草乾姜湯不是止血之劑，而血競得止，這是因為「陽者，衛外而為固也」，陽固則陰自安於內守，即堤防既固，水流則無氾濫成災之害。以往認為「奪血者無汗，奪汗者無血」作為臨床治療原則，是對後人的告誡。從這例驗案看出它還是判斷疾病順逆的主要依據，「出汗多的人不出血，出血多的人不出汗」均為順，否則預後兇險。

還有一種情況，譬如高燒病人的戰汗，手術或女性分娩後的虛汗，都是津血突然消耗過多，生命垂危、彌留之際的脫汗等，遇有上述種種汗出異常之情形，不可盲目斂汗、止汗。既不要有思想負擔，但也不可掉以輕心，應當及時到醫院採取措施。

「增液行舟」話津液

「增液行舟」出自清代著名醫學家吳鞠通，他在《溫病條辨》中說到「水不足以行舟，而結糞不下者」，當增水行舟。那麼什麼叫「無水舟停」？

水能載舟，有水，船才會行，如果水乾了，船想行也行不動。「無水舟停」一語，中醫用來形容津液不足可以導致便秘。便秘的原因很多，其中一個，是身體津液不足，大便像沒有水的船，停在腸子裏，動彈不得。所以滋補津液，大便就像船得水一樣，可以行得動了，不再便秘，這叫做「增水行舟」。

一、增水行舟，水乃津液

在地球上，哪裡有水，哪裡就有生命，一切生命活動都是起源於水的。人體內的水分，大約佔到體重的百分之六十五。其中，腦髓含水百分之七十五，血液含水百分之八十三，肌肉含水百分之七十六，連堅硬的骨骼裏也含水百分之二十二！沒有水，食物中的養料不能被吸收，廢物不能被排出體外，藥物不能到達病灶。人體一旦缺水，後果是很嚴重的。缺水百分之一~百分之二，感到渴；缺水百分之五，口乾舌燥，皮膚起皺，意識不清，甚至幻視；缺水百分之十五，往往甚於饑餓。沒有食物，人可以活較長時間（有人估計為兩個月），如果連水也沒有，至多能活一周左右。

中醫將這些人體中正常存在的水液一律稱之為津液。津液是人體進行生命活動的基本物質之一，是非常寶貴的，既不可以隨意的丟失，又需要在身體中循行有序而不氾濫為害。

津液分佈在人體的不同部位，性質又各不相同。《黃帝內經》說：「津液各走其道，故三焦出氣，以溫肌肉，充皮膚，為其津；其流而不行者，為液。」其中，性質較清稀，流動性較大，布散於體表皮膚、肌肉和孔竅，並能滲注於血脈，起滋潤作用的，稱為津；性質較稠厚，流動性較小，灌注於骨節、臟腑、腦、髓等組織，並起濡潤作用的，稱為液。前已述及，自不多言。

二、人體就像泉眼，津液不斷湧來

水液可單獨納入體內，也飽含於其他食物之中，與食物一起進入體內。日常生活中幾乎沒有不含水分的食物，就算人們常吃的餅乾或炒米、炒麵內也含有一定水分，只是量相對少一些而已。由於「飲食」或「水穀」是不可分的，故往往二者通稱並提。《黃帝內經》說：「飲入於胃，遊溢精氣，上輸於脾，脾氣散精。」

這段話是對津液生成的簡單概括。飲，即水液。飲不含食，但食是含有水的。所以飲(食)水(穀)是津液生成的物質基礎。飲食首先要經過胃的消磨腐熟，在初步消化過程中，部分地吸收其中的水液和精微物質。「遊溢」，是遊動佈散的意思。胃將初步消化的飲食精華下歸小腸，通過小腸的泌別清濁作用，吸收其中的大量水液和食物精微，之後將殘渣下送大腸。大腸將食物殘渣中的水液再吸收後，才能促使糟粕形成糞便。小腸和大腸的這兩種作用，中醫叫作「大腸主津」和「小腸主液」。就是因為它們都能吸收水液，參與津液的生成。

胃、小腸、大腸將所吸收的水液均上輸於脾，再通過「脾氣散精」的作用而佈達周身。因為胃腸中的水液必須通過脾的運化才能佈散到全身，所以《內經》說「脾主為胃行其津液」。脾的運化或胃腸的吸收功能失常，都會影響津液的生成，導致津液不足的病變。

三、萬涓成水，津液匯流成河

津液在身體裏是不斷流動的，也是有規律的。

津液生成之後，需要被輸送到全身來發揮滋潤的作用，在這期間需要有運輸的動力才行。在中醫看來，這個動力來源於肺、脾、腎等臟腑中蘊藏的熱能，中醫稱之為陽氣。

1、脾中陽氣升騰，是水利的樞紐

中醫學認為，脾在五行屬於土，方位合中央。屬於土，當然可以治水了，所謂「水來土掩」嘛，既然方位在中，那麼在水液代謝中一定是中轉站了。

水飲入胃之後，脾的運化功能使水飲中精微部分分離出來，並被脾吸收，同時小腸吸收的水穀精微及大腸重吸收的水液精微部分一起上輸於脾，此時脾中陽氣的升清功能又將這些水穀精微上輸於肺。與此同時，脾直接向全身「散精」。在這個過程中，脾又將全身個組織器官的多餘水液上輸於肺。由此可見，脾在整個水液代謝過程中起到的是「水泵」的作用。

如果脾不能及時將水液運走，則水液便會在體內不正常的停留，水液停聚則濕自內生，濕聚則生痰，最常見得症狀就是腹瀉拉肚子。

2、肺中陽氣敷布，為水之上源

水通過脾胃的消化吸收，其精華部分最終是「上歸於肺」。原來肺中所藏的精氣就是津液的精華之氣，通過肺對津液的儲藏和釋放，來灌溉人體的各組織、器官、所以中醫又稱肺為為「水之上源」。我們把肺的這個儲藏功能和自然界進行對照，就更容易理解和接受。河水是高山冰雪融化後流入河道而成的，長江、黃河的源頭不都是在西部青海高原的皚皚雪山上麼？

水液在肺的呼吸作用下，輸布到了全身，外達皮毛，最後以汗和呼氣的形式排出，這是肺的呼氣運動產生的效果，中醫稱之為肺的宣發功能；水液向下、向內轉輸，成為尿液生成的源泉，這是肺的吸氣運動的結果，中醫稱之為肺的肅降功能。

若肺失宣降，水液不外達而無汗，不下輸則無尿，或小便不利，同時會出現水腫的症狀。因為人體水液來源於脾，而歸於肺，借助其宣降運動來通調水道，以維持體內水液的代謝平衡。

3、腎中陽氣蒸化，為水之下源

古人很早就認識到，腎和水有密切的關係。

在五行配屬上，腎和水是配在一起的。《素問・逆調論》雲：「腎者，水髒，主津液。」故腎主水液是腎的重要生理功能之一，這一功能主要靠腎中蘊藏的巨大熱能來完成的，我們稱之為腎陽。腎陽推動水液運行主要表現在以下幾方面：

升清降濁：腎的氣化使清者上升於肺，輸佈全身，滋養臟腑組織器官，此過程稱「升清」。濁者通過肺的肅降下歸於腎，再經腎的氣化使濁中之清者複經脾達肺發揮營養作用；其濁中之濁者，下注膀胱排出體外，此過程稱降濁，如此維持水液的動態平衡。

司膀胱開合：膀胱的開合依賴於腎的氣化作用，腎的氣化功能正常，則開合適度。開，則代謝後的水液得以排出；合，則機體需要的水液得以貯存。

促進肺、脾、肝、三焦等臟腑的氣化：腎陽為一身陽氣之根，脾的運化、肺的宣降、三焦水道的通調等，無不依賴腎陽的作用而發揮正常的功能。如腎陽不足，蒸騰氣化功能失常，水液代謝障礙，則既可見到氣化不利的尿少、水腫等症，又可見到攝納無權、升清不利的小便清長、尿量增多等症狀。

四、天地合參，津液流通效法自然

中醫始終強調「道法自然」，「天地合參」，這裏的「道」是講規律性。人和自然是一體的，人體的許多規律必然能夠在自然界中找到它的原型。那麼，讓我們來看看自然界的水是如何完成循環的吧。

（一）天地之水

自然界很多地方有水。天空中漂浮著的雲裏有水；空氣中有水蒸氣；地面上江、河、湖、塘、溪、水田和大海裏都有許許多多的水，就是人和動植物體內也有水。水有液體、固體和氣體三種形態。在溫度變化的條件下，它們之間可以互相轉化。液體形態的水在受冷的條件下轉化成固體形態的冰，在受熱的條件下轉化為氣體形態的水蒸氣；固體形態的冰在受熱的條件下轉化為液體形態的水或氣體形態的水蒸氣；氣體形態的水蒸氣在受冷的條件下轉化為液體形態的水或固體形態的冰。

顯然，太陽提供的巨大熱能使水的形態發生變化，而且也使水在自然界裏不停地循環運動著。地面和江、河、湖、海裏的水，受了太陽光的熱，變成了水蒸氣飛散到空氣中；水蒸氣在空氣中受冷，有的結成小冰晶，有的結成小水點，小水點或小冰晶聚集在一起，成為雲，《黃帝內經》說：「地氣上為雲」；雲裏的小水點或小冰晶相互碰撞、併合，越聚越大，大到空氣托不住時，便降落下來，形成雨或雪；雨水和融化的雪水，有的蒸發了，有的又流進了江、河、湖泊、大海。水就是這樣日夜不停地在海洋、天空、地面之間循環運動著，這就是水在自然界的循環。自然界水的循環對人類有很大益處，但有時也會造成災害。

水在自然環境和社會環境中，都是極為重要而活躍的因素。山清水秀，鳥語花香，風調雨順，五穀豐登。水在不停地運動，在人體裏，在農田，在工廠，使世界充滿生機和活力，汙物被水流帶走，稀釋了，化解了，又被大自然淨化了。當我們徜徉在大自然的懷抱的時候，其實我們所面對的全部是水給我們的力量。但是，若某個地區降水集中或長期無雨，就會造成水災或旱災等災害。

（二）體內津液

當我們把人體的水液代謝和自然界的水循環作比較時，會發現兩者是何其相似？這種認識上的相似是偶然現象還是有著某種必然的聯繫？這，從中醫的古籍裏，我們不難找到答案，顯而易見，中醫對人體水液代謝過程的描述，是從觀察自然界水循環的現象中得到的某種啟示，這就是中醫認識生命的方法。中醫學對津液循環過程的認識就是通過對自然現象的觀察而推演至人體的，人體就是一個小天地，小天地中的各種變化和大天地是一致的，這就是中醫的「天人合一」觀。

從上面的過程不難看出，津液要完成對全身組織的灌溉和滋潤，不僅需要津液充足，而且津液在體內的上升和下降過程都要正常才行。和自然界的水循環一樣，水液的缺乏和分佈失常都會引起身體的不舒適。顯而易見，其中的原因是不同的。

津液缺乏常常是由於津液的生成不足或消耗過多，如飲水少，生成不足，出汗太多，劇烈或者持久的嘔吐、腹瀉會消耗體內的水分；津液的運行、輸布和排泄障礙，常常是輸送津液的動力出了問題，進而使得體內的津液滯留，形成濕、痰、飲、水等有害物質，這些物質又進一步阻止了津液輸布的道路，中醫稱之為「水道」，形成惡性循環。

五、龍王爺做法——旱澇不均

津液代謝失常，積聚和匱乏均能危害健康，就好比龍王爺做法——旱澇不均，造成的不良後果一樣。

（一）慢性咽炎與津液

慢性咽炎也屬於身心疾病的一種，隨著社會壓力的增大，室內裝修、城市污染的增加，該病一直呈上升趨勢。咽部不適，或疼、或癢、或乾燥感、灼熱感、煙熏感、異物感等；刺激性咳嗽，晨起用力咳出分泌物，甚或作嘔。

這些表現都提示咽喉部的津液是不足的，但是我們要具體的來分析，是津液虧損不足了，還是津液不能上潮了？如果是體內有熱，常常「上火」，津液不足，那麼用補充津液的方法就能解決問題，如玄麥桔甘湯(玄參、麥冬、桔梗、炙甘草各等量)，沏水代茶飲用，既可清熱又能生津，可謂標本兼治。如果是後一種情況，津液由於某種原因不能敷布到咽喉部，這個時候喝在多的水，吃再多的生津藥物都無濟於事，反而加重了體內陽氣的負擔，津液更加難以上潮於咽喉。正確的方法是找到影響陽氣輸布津液的原因，如陽氣不足的要補陽氣，動力足了，津液自然可以上行；如果是體內有痰了，把水液運行的通道給擋住了，自然要用疏通水道的方法了。

可見，慢性咽炎雖為小恙，辨證論治卻也不可含糊。辨證不清，治之無功也！

（二）提壺揭蓋通小便

「提壺」必須「揭蓋」，這本是一種生活現象。

譬如一具盛滿水的壺，要使水從壺嘴中順利被傾倒出來，必須在壺蓋上鑿進氣的孔或乾脆揭開蓋子。這個道理其實很多人都知道。就是一個氣壓的問題。中醫形象的認為，人體就像一個大茶壺，肺就是茶壺的蓋子，壺嘴就是下竅。當肺的功能失常，就好比蓋子的小孔被堵住了，下竅就不通利。因此，最初的「提壺揭蓋」是治療小便不利甚至點滴不出，甚至水腫之證的。既然宣肺則津液可以下降，依此法治療便秘也就不難理解了。《侶山堂類辨》中記載，張志聰治一人患水腫尿閉，醫用八正散等利水劑不效，張氏以宣通肺氣的藥物防風、蘇葉、杏仁各等分為劑，水煎溫服取汗，小便即利，水腫全消。其中道理就在於此！

可見，肺與二便有著非常重要的聯繫。我們可以舉出更多的例子，比如有些時候，咳嗽會出現小便失禁、大便滑脫的現象，這種現象在老年人是比較多見的。在治療的時候都要考慮到從肺來論治。這展現了肺對津液代謝的密切關係。前面說過，中醫認為，肺主行水，通調水道，推動水液的輸布和排泄。肺氣肅降，將機體代謝後的水液下行到腎，經腎和膀胱作用後，生成尿液排除體外，保持小便的通利。如果肺功能失常，行水失職，則水道不通，小便不出。而且，行水失職也使大腸失去水分的潤滑，從而影響到大腸的功能，導致便秘。

其實，早在《黃帝內經》中，就有過論述，如《靈樞・五癃津液別》篇裏說：「天暑衣厚則腠理開，故汗出……天寒則腠理閉，水濕不行，水下留於膀胱，則為溺與氣。」意思是說，在春夏之季，天氣炎熱，人的氣血容易趨向於表，表現為皮膚鬆弛，出汗多而小便少；而秋冬陽氣收藏，氣血容易趨向於裏，表現為皮膚緻密，汗少而小便多，以維持和調節人與自然的統一。這是人體隨著季節來調整津液代謝的方式，也提示我們，汗和小便有密切的關係。既然小便癃閉證可以用麻黃這一類宣肺氣、開外竅的治法。那麼，拓展開來，外感熱病通過發汗不能緩解的時候，可以用通利小便的法子也就不足為奇了。

這就是中醫的整體觀！

（三）「增水行舟」治便秘

（1）「增水行舟」，顧名思義，是指江河因水流減少、水位變淺、河道變窄，船便無法正常行駛，必須通過人工增水，使水位上升，擱淺的船就可以正常行駛了。同一樣，「增液行舟」治療便秘也是取法自然。

「增水行舟」被古代醫家借用，作為中醫治療便秘的一種方法。人的腸道就好比河道，糟粕就好比河道中的船隻，腸道中的津液就好比河道中的水。正常情況下，在腸道津液的潤滑下，糟粕順利向前移動，並排出體外，就如同船隻得水之承載才能在河道中順利航行一樣。當河道中的水不足的話，河道就會變窄，使得原本可以一次通航五艘，變得每次只能通航一艘。腸道中如果津液虧少的話，也可引起糟粕移動不利。如果要保證船隻順利航行，可以通過蓄水的方式，增加河道的寬度和水的深度。對便秘而言，就是要增加腸道內的津液。這就是「增液行舟」。治療這種便秘的方子，也被形象地冠名為「增液湯」。

（2）如今治療便秘的常用辦法。隨著生活節奏加快，情緒浮躁，心火內生，加之膳食辛辣肥膩，造成不少人常年大便燥結不通，整日脘腹脹滿、口中穢氣、頭暈腦脹、舌苔厚膩，或面生皮疹、周身瘙癢，尤以老年人和女性多見，這樣的便秘多為津液虧乏所導致，本來應該用

「增水行舟」補充津液的方法。雖然許多人深受便秘困擾，對便秘卻沒有引起足夠重視，往往自主地購買一些清腸排毒的藥物或保健品緩解一時症狀，達不到治本的目的，如果用藥不當，更會對身體造成的傷害。起初可能起到蕩滌腸中宿便的功效，甚至也會排幾天稀便，舒服幾天，但只能逞一時之快，隨之而來的是便秘症狀更甚，有時再加大藥量不僅無效，還會出現倦怠乏力、心悸氣短、口鼻乾燥等氣陰兩虛的症狀。那麼，用了瀉藥，大便卻越來越乾結難解，究竟是為什麼呢？讓我們看看人們常用的通便藥物吧。

最常見的藥物，牛黃解毒片、清胃丸、上清丸、清寧片等中成藥，或用大黃、番瀉葉等單驗方來瀉下通便。這些藥物的共同特點是苦寒，苦寒就容易傷了體內的陽氣，這和我們吃了涼東西容易拉肚子是一個理兒。前面說過，水要行走，必須要有動力，這個動力在人體就是陽氣，傷了陽氣，水豈能行的動？苦寒傷及脾腎陽氣，苦燥耗竭腸道津液，而致愈瀉愈燥、愈瀉愈虛，更加影響大腸排泄糟粕的功能，造成便秘難解，遷延日久，痛苦不堪。這樣只圖一時之快通大便，付出的代價實在是有點太大了。更有甚者，許多女性為美容養顏，長期服用一些通腑瀉下的排毒藥物，豈不知屢用苦寒苦燥的藥物耗傷氣血陰陽，反致正氣虛損，肌膚失去濡潤而面容憔悴，步入緣木求魚的誤區，豈不哀哉！

可見，便秘雖為小恙，也不可不分青紅皂白，服用瀉藥一瀉了之！治病還當辨證論治！

（四）「利小便實大便」治泄瀉

和便秘相對應的另一個常見病就是泄瀉了。腹瀉的原因很多，中醫治療腹瀉是根據腹瀉的不同特點來辨證施治的。

《蘇沈良方》有這樣的一段記載：宋代文學家歐陽修，得了急性腹瀉症，請太醫院裏的國醫治療，絲毫沒有效果。他的夫人對他說，市集上有人賣治腹瀉的藥，三文銅錢一帖，服過此藥的人，都說效果好，咱何不買一帖吃吃看。歐陽修說，咱們這些人的體質和勞動人不一樣，他們敢吃的藥，我們卻不敢輕試。可是夫人瞞著他買來一帖，攙在國醫處方的藥劑中，給歐陽修服下。只服了一劑藥，歐陽修的腹瀉就完全好了。治好之後，他的夫人才把詳情對他說了，歐陽修也著實佩服，便把賣藥人叫來，答應用很高的價錢請他傳方。賣藥人起初不肯傳，經歐陽修百般動員，才說：這就是車前子一味，碾成細末，每服六克，攙在稀米粥裏服下。趙學敏編寫的《串雅》中，有一張方劑叫分水神丹，即白術三十克，車前子十五克，水煎服。治療水瀉，非常有效。明末羅國綱的《羅氏會約醫鏡》提到治水瀉的秘訣，是在藥方中加入一味萆薢，萆薢也能滲利小便，和車前子的作用差不多。

這裏的道理就在於車前子有利小便的作用。利小便可以實大便，或者說利小便可以使大便「實」。這種方法治療腹瀉屬於滲利法。本法適用於：大便稀薄如水瀉，小便短少，腹部發滿，沒有裏急後重感，也沒有膿血混雜。這樣的腹瀉，病灶一般在小腸。因為小腸不能吸收水分下出膀胱，使水液直趨大腸，才致成腹瀉。治療這樣的腹瀉，應當用利小便的藥物，使水走前陰，大便才能不瀉。這種方法，叫做「滲利法」。

這還是中醫的整體觀！

痰為百病之母

提起痰液人們自然會想起隨咳嗽而出的有形液體，但提起「痰迷心竅」細細品味有時真的迷茫了。人們不禁要問「痰出自氣管，怎麼會到心臟了？」

一、從「蔡京貴壓朝班」到「範進中舉」

北宋權臣蔡京任開封府尹（宋朝首都最高長官）時，侍寢不力（照顧皇帝不周到），被貶往杭州，他一心想重返京城。江湖道士林靈素（有名的大胖子）深知蔡京是「百尺之蟲，死而不僵」，挖空心思曲意逢迎。一日藉故為蔡京相面，盯著蔡京的上額、下頜、顴骨、鼻子，左看右看。其實蔡京本來生得醜陋，「尖尖的下頜好似老鼠子掛秤鉤，凸凸的上額像是高山上的懸岩，兩邊顴骨錯了位，高低不均，如果行夜路的人遇著蔡京，一定會講他是個夜叉。蔡京的這副相，畫像師傅畫不出，雕匠師傅雕不出，鷹嘴鼻子鷂子眼，挖人的心肝吃人的膽」。林靈素看了蔡京這副相，只能奉承：「府尹，貧道觀之，五嶽朝天，貴壓朝班。」蔡京平日常患痰迷心竅病，一聽「貴壓朝班」，痰迷心竅的病又發作了，喜得像個瘋子，激動得像個猴子，一手扯著林靈素的道服，在堂前亂轉，嚇得林靈素面如土色，他跟著蔡京在堂前亂轉，人又肥，被蔡京拖得上氣不接下氣，心裏直埋怨自己不該奉承蔡京，害得自己被蔡京拖得無法下場。越下不得場，蔡京越扣緊他的袍服，在堂前轉大圈，拖得林靈素滿頭大汗，那肥胖的身子一時轉不過來，腳一歪倒在地上。蔡京被拖得身子歪了幾下，仍然獨自一人在轉大圈，又是跑，又是跳，又是仰天哈哈大笑，語無倫次：「老夫貴壓朝班，貴壓朝班矣。」

林靈素見蔡京發了狂，心裏又氣又急，這童貫（蔡京的上司）即刻要來了，如果繼續發狂這怎麼收場呢，遂從地上爬起來，紅著臉沖著蔡京說：「鬼要你下幽關。」蔡京聽到鬼要捉他下幽關，倒是嚇醒了，前仰後合站了好大一會，才站穩步子，仍然狂笑不已，見林靈素跌得臉青一塊，紫一塊，心中有些過意不去，命家人拿二十兩銀子，交給了林靈素，說：「這是老夫的微薄之禮，請收下，倘若有入朝之日，一定重謝。」果然，蔡京憑著精湛的繪畫技藝受到徽宗垂愛，重返京城，權傾朝野。

與蔡京相類似的就算《儒林外史》中記載的範進了。範進中舉後喜得發瘋，報錄的人說他「痰迷心竅」。及後，其母親也因「痰迷心竅」而歸天。在這裏我們重點不在考究故事情節的真實性，而在於增強大眾對「痰迷心竅」的理解。

從以上兩個事例可以看出，痰迷心竅的主要誘因是情緒刺激，典型表現是瘋癲，說白了就是精神分裂症。

二、「痰」分有形和無形

「痰迷心竅」的「痰」不同於我們肉眼所見的痰，屬中醫學中的「無形之痰」。中醫認為痰是一種「其液黏稠」的病理產物，有狹義的有形之痰和廣義的無形之痰之分。

（一）有形之痰

狹義的痰，看得見，摸得著，易為人們所察覺，故稱有形之痰。乃指呼吸道分泌或滲出的液體，咯或咳出的液體，或白或黃，有形質可見，與現代醫學有關痰的概念相近。常與咳嗽氣喘症狀同見，屬於呼吸系統疾病。

有形之痰以痰的原因命名者，如濕痰、痰火、燥痰、風痰等；以質地命名者，質地稠厚叫痰，質地清稀叫飲。但臨床辨治，一般從咯出痰液的顏色和性質劃分為熱痰與寒痰兩類型。如痰色黃或微青，稠如膠者為熱痰，像肺化膿症等細菌感染性疾病，一般使用魚腥草、黃芩、瓜蔞、貝母等藥物；若痰液澄白清稀如水者為寒痰，像老年慢性支氣管炎，一般使用半夏、乾姜、細辛、白芥子等藥。

（二）無形之痰

廣義的痰，是中醫理論所特有的一種概念，乃體內津液代謝失常而成；停積於經絡、臟腑，引起各種頑症、怪症。因手不可觸及，眼不能見之，故稱無形之痰。其致病後無一定的規律，症狀表現離奇古怪，故其「變化多端」。當然，無形之痰是相對而言的，今天如僅知道它引起的種種病症而不見其本來面貌，明天就可借助於現代化的手段，對它的病因病理和發病機制闡明清楚的。

無形之痰是臟腑功能失調的結果，即人體在疾病過程中形成的一種病理產物。不幸的是，這一病理產物十分不安分，一旦形成，又可搖身一變，成為新的致病因素；並常仗著氣的威風，隨氣而行（痰濁隨氣升降，無處不到），為害四方。而且還能與其他致病因素如風、寒、熱、火、淤血等結為團夥狼狽為奸，形成所謂的「風痰」、「熱痰」、「寒痰」、「燥痰」、「濕痰」、「痰飲」、「痰火」、「痰包」、「痰核」、「痰瘧」、「頑痰」、「宿痰」；隨其所侵犯的部位及所結夥伴不同而出現新的、複雜多樣的病理過程，引起新的疾病。

無形之痰雖然無形，但滯於各臟腑器官，影響各臟腑器官的生理功能卻有徵象可尋。例如壯年之人，經常因勞累犯眩暈，頭痛已久。診斷為美尼爾綜合征，視體質肥胖，舌淡苔白厚，脈滑。用半夏天麻白術湯治療能很快痊癒；中醫就說該病人患了「風痰上擾證」。痰濁四處為害的例子比比皆是，其中目前弄清楚的還有：

痰阻於心，心血不暢則心悸；痰阻心陽則平素胸部憋悶或心前區壓抑悶痛，遇陰雨寒冷氣候加重；這兩種情況就是大家所熟知的缺血性心臟病。

痰阻於肺，陽氣被阻則背冷，喜歎氣，陰雨天氣或寒暖交替時加重；很像我們講的慢性支氣管炎反復發作。

痰蘊於胃則噁心嘔吐，脾虛痰盛則時時唾吐痰涎，難以自控或倦怠無力，身重嗜睡，口渴不欲飲，或厭食油膩厚味，喜食焦香乾燥食物；脾寒痰盛，只要食腥葷肥膩即有胃冷、便稀及泛惡之感。臨床上胃腸功能紊亂常見這些症狀。

痰郁於肝則胸肋隱痛、噯氣、善郁易怒。

痰動於腎則浮腫惡寒，腰膝冷痛，或頭暈耳鳴，腰膝酸軟。

痰滯大腸則大便不暢等。

痰循經絡上犯於頭則腦暈昏冒，頭痛頭重，噁心嘔吐。

痰循經絡迷於心竅則神志失常，癡呆，妄言妄見，癲狂癇。

痰熱循經絡上擾於目，則眼前似有物移動而飄蕩。

痰濕壅塞，阻礙腎氣上注，則眼眶周圍略顯晦暗或面色晦暗，其形如腫。

痰循經絡遏阻於四肢，則手足作脹，指短掌厚或肌肉鬆軟如綿。

痰飲流入肩臂（頑固性肩周炎）則肩臂酸痛，臂不能上舉；痰阻氣機則肢體局部發熱或麻木，不知痛癢。

痰阻於胞宮，可見白帶多、月經不調和不孕。

痰在咽喉，又可出現咽部梗塞及異物感；醫學上叫梅核氣。

痰阻經絡，流竄皮下，則皮下結節，或瘰鬁（頸部淋巴結核）、痰核（皮下結節），流痰乳癖（乳腺增生症），或頸部癭瘤（俗稱大脖子病，現代醫學稱甲狀腺腫）。

由此可見痰證的複雜和多樣了。難怪中醫學中有「百病皆生於痰」、「痰為百病之母」、「百病皆由痰作祟」的說法。因此臨床上遇有久病疑難雜症，症狀離奇，只要是舌苔膩，脈濡滑，體肥胖，常以疑似痰來辨治，「頑痰怪症」之說即由此而來。

（三）來源一致

不論有形之痰或無形之痰，其生成的原因總是一致的。也就是說，二者都是人體津液代謝障礙病理產物，其中尤其與津液代謝直接相關的脾、肺、腎三髒功能失調有關。脾主運化，脾虛運化失職，水濕內停，濕聚為痰。肺主宣發，肺氣不宣，津液失布，凝聚為痰。腎主開闔，腎陽虛，氣化失職，水液內停，聚而成痰。就如前面所提及的「肺為貯痰之器，脾為生痰之源」。另外，肝鬱化火，火每以灼津傷陰，煉液為痰。

在臨床實踐中，許多疑難陳病從痰論治，多能獲得良好效果。

三、「九竅不通」與「痰迷心竅」

痰迷心竅所致的精神失常，只是痰病症狀的一部分，有時非常突出，常使其他症狀顯的極不重要，使患者和醫生不去注意，這自然就抓不住疾病的本質，只是對症處理，久治不愈。

痰之所以能使精神失常，與脾胃功能失調，升降逆亂有關。《素問・玉機真髒論》曰：

「脾病不及，則令人九竅不通」，李東垣曾說「脾胃虛則九竅不通。」脾胃為後天之本，氣血生化之源，主升清。脾胃健旺，薰蒸腐熟五穀，化源充足，五臟安和，水穀精微就可源源不斷的上呈耳目口鼻，人的視、聽、嗅、味覺靈敏正常，這叫「清陽出上竅而上達於腦」。飲食物消化吸收後所剩下的糟粕經過腸道的泌別清濁與排泄，下出前後二陰，人的大小便就正常，這叫「濁陰走下竅」。如果「脾氣不升，濁氣不降」，釀生痰濁，那麼上竅得不到濡養反受痰濁蒙蔽就可能發生幻聽、幻視等現象。耳目口鼻是七個竅，加前後二陰兩個竅，共九個竅。所以叫做脾胃虛衰，九竅不通。

脾病不及，九竅不通，常見的症狀有頭暈、目眩、耳鳴、煩躁失眠以及由幻聽引起的喃喃自語，幻視幻嗅引起的舉止失常等怪異症狀。後者屬於神志異常，神為心所主，故稱為「迷了心竅」。理解了這層道理，遇到精神失常者我們仔細察舌按脈，只要出現舌苔白膩，脈滑，「從痰論治」，就是抓住了疾病的本質。

四、痰病雖怪，治痰有方

我們說痰病怪、痰病複雜，辨證疑惑難定，用藥頗感棘手，這是由多方面因素決定的。首先看痰濁蒙閉心竅所表現的證候吧，它既可因情志不遂、氣鬱生痰而引起，也可由外感濕濁之邪，困阻中焦，釀痰上蒙所致。還常見於癲癇疾病或其他慢性病的危重階段。臨床表現有全身的、也有局部的、還有精神症狀。全身症狀可見面色晦滯，意識模糊，喉有痰聲，甚則昏不知人，或突然僕地，不省人事，口吐痰涎，喉中痰鳴，兩目上視，手足抽搐，口中如做豬羊叫聲，舌苔白膩，脈滑；局部症狀可有舌強語蹇，胸悶等；精神症狀除瘋癲外尚有精神抑鬱，表情淡漠，神志癡呆。但萬變不離其宗，痰迷心竅證總以神志不清，喉有痰聲，舌苔白膩為辨證要點。這一迷亂中尋得的蹤跡為治療指明了方向。

知道了這些還不夠，因為在認識痰迷心竅的過程中還要跨越一座「迷魂陣」，因為它也是由痰引起，表現也有精神障礙，它叫痰火擾心證。與痰迷心竅相比較他有了「火」的徵象，以高熱，痰盛，神志不清，或狂亂，苔黃膩，脈數有力為特徵。痰火擾心的精神障礙是狂亂不已，傷人毀物，不避親疏。

分清了病因，見怪就不怪了。關於治療痰病的辨法，《醫學準繩大要》說，「痰飲變生諸症，形似種種雜病，不當為諸雜病牽制作名。且以治痰為先，痰飲消，則自愈。」清代醫家俞嘉言說：「治痰之法，曰驅，曰導，曰滌，曰化，曰湧，曰理，曰降火，曰行氣。」可以說是治療痰證的要領。但臨床應用，當因具體病人而異。譬如痰迷心竅證的治法為滌痰開竅，方用導痰湯、菖蒲郁金湯；證情偏於痰濕氣阻（面色白或無變化，體質偏胖）的加用蘇合香丸，芳香化濁開竅。

例如一張姓男子患精神分裂症，平常沉默寡言，走路「旁若無人」、「視而不見」；多疑，總感覺有人說自己的壞話，憂心忡忡。就診時由家屬陪同代訴，家屬要求病歷上不能寫明真實情況，以防止病人疑慮。大夫號脈驗舌後按「痰迷心竅」開了「導痰湯」，藥物如下：半夏、竹瀝各九克，橘紅、石菖蒲、郁金、枳實、膽星各六克，茯神十二克，磁石三十克，柴胡四克，炙甘草五克。水煎服。用藥七天后在上方基礎上加珍珠母三十克、遠志六克　。二十天后病人自己來就醫，不需人陪了，禪述病情也有條理。

而痰火擾心證則用瀉火消痰的方法，方用礞石滾痰丸等方。如果有大便秘結，腹脹痛拒按裏實明顯者，可不必投礞石滾痰丸，放膽用大黃攻下，糞便得通，狂亂即安，這樣的例子臨床屢見不鮮。張錫純《衷中參西錄》用蕩痰湯治癲狂，即甘遂與大黃同用。《孟河丁氏醫案》中三妙丸乃大黃與巴豆同用，又治癲狂秘方甘遂丸，即憑藉甘遂攻下，使大便利下為度。使用的大黃、巴豆、甘遂雖然不同，瀉下積糞的作用是一致的。

曾經見到一位青年，患癲狂症，不睡眠不飲食不大便，毀物叫罵，狂奔疾走，力逾常人，他的父親頭部亦被擊傷。滿面通紅，雙目佈滿紅絲，氣勢洶湧，人不能近，由家人強執其手。診脈洪滑而數，按壓腹部時，腹皮綳緊，病者蹙眉，顯示拒按有壓痛感。強啟其口，臭氣噴人，從齒縫間可見舌絳苔焦黃。中醫辨證腳陽明胃熱熾盛，煉液成痰，痰火上壅，擾亂清竅而狂亂。治宜清瀉胃火，滌痰開竅，用大黃、石膏、元明粉、枳實、竹瀝、紫雪丹，用第一劑後積便就排出很多，第二劑神志恢復正常，調理而愈。該例瀉去糞便，病情即顯著好轉，但糞便在腸中的醞釀腐化，何以會形成這樣強的刺激源，現代醫學確實從多方面進行了研究。

見微知著，從外窺內

古代的扁鵲為齊侯診病，一望便知病情重，可以稱得上「神醫」。搭手切脈就能推斷病變部位。這是中醫的特色診法，是整體觀的體現。以表知裏是通過觀察事物的外在表現，來分析判斷事物內在狀況和變化的一種思維方法。

所謂見微知著，就是說看到事物的苗頭，就能預知事物未來發展的趨勢，防患於未然。是否善於見微知著，防患未然，是一名醫生才華和水準的重要標誌。

一、扁鵲見齊侯，望而斷生死

《史記‧扁鵲倉公列傳》記載了一個生動的案例，有一次扁鵲到齊國去見齊桓侯，初一見面，扁鵲就發現齊侯面帶病色，但是病勢尚輕，於是扁鵲對齊侯說：「大王有病在肌表，要快些治療，否則會發展加重的。」當時齊侯未覺有病，便不以為然地說：「寡人沒有病。」過了五天，扁鵲又見到了齊侯說：「大王有病已發展到了血脈，再不治的話會加重。」齊侯很不高興。又過了五天，扁鵲又去見齊侯說：「大王的病已經發展到了腸胃，如再不及時治療會更加嚴重。」齊侯更不高興，乾脆不理扁鵲了。再過了五天，扁鵲在路上遠遠地望見齊侯，便迅即走開了。齊侯覺得奇怪，便派人去問他。扁鵲對來人說：「病在肌表，可用湯熨的方法治療；病在血脈，用針刺可以治癒；病在腸胃，酒醪可治；現在齊侯的病已經發展到了骨髓，再也沒有辦法治療了。」又過了五日，齊侯病發，派人去請扁鵲，扁鵲已經離開了齊國，齊侯終於病死。

齊侯剛愎自用，諱疾忌醫，死不足惜。扁鵲望色知深淺輕重，定可治與不治，卻對後世產生了巨大影響。在臨床上許多疾病早期就會表現出某些症狀和體征，即便很不明顯，但已是早期診斷的線索。如肺是藏於裏的髒，它具有主呼吸的功能，並與鼻相通。通過觀察外在的呼吸、咳嗽、鼻塞、氣喘等的變化就可以推斷肺的功能。又如面部的色澤可以反映體內氣血的狀況，而心主血，心血不足則面色淡白且無光澤。同時觀察面色改變可以推斷病變的性質，如面色紅赤為內有血熱；面色青紫為內有血瘀。可見只要細心診察，就可從外部的細微表現推測疾病的部位和性質，分析判斷事物內在狀況和變化。

二、今人治手麻，飲茶病自痊

曾有一病人，半年來左手三、四、五指掌處有異樣感覺，似麻似疼。曾去找他那些在大醫院從事西醫內科、神經科、皮膚科、骨科的當年同學諮詢過，有的說頸椎的問題，有的說尺神經異常，有的說神經末梢與皮膚營養不良，還有的說骨與腕掌關節病變，各說各的，莫衷一是；攝片等檢查難以確定，不知何故？試問中醫作何解釋？有何妙法？後求醫於中醫，詢得症情，並細察舌脈後，中醫按氣血不和，建議他用些中藥飲片，泡茶代飲，試服數日。過了多日，兩人偶遇，患者笑著對中醫說，「你的氣血不和說，我難以接受；但服用藥茶後，症狀倒真的緩解了不少。你建議的藥中，哪一味是專治手麻的？」中醫醫生如實而答，「中醫本沒有專治手麻的藥，我建議你飲的藥茶，是調整全身氣血的」。患者似乎對這種解釋更顯驚詫。

其實，這裏正展現著中西醫學觀念的一大差異：注重整體和偏好於具體結構。

三、人身是整體，「拆零」就「失真」

幾乎所有介紹中醫的書中，都把「整體觀念」視為中醫學的最大特點。果真如此嗎？那又何謂「整體觀念」？怎樣理解才算比較確切？為什麼會造成中西醫學的這些差異？對這些作些剖析是頗為有趣的。

醫學涉及人的健康與疾病等極其的複雜的生命機理，借助「拆零」的局部結構研究，確能揭示出不少相關的機理。可惜，它又是有所欠缺或「失真」的。因此，進入本世紀以來，西方醫學在繼續精緻地進行「拆零」的同時，也開始萌發出一種新的傾向：日趨強調須注重生命過程中廣泛存在著的種種聯繫：包括結構上、功能上、代謝上、神經方面、體液方面、免疫方面，乃至心身之間和內在機能與外界環境之間的聯繫，等等。這種傾向可以看作是對舊有傳統（包括中醫學的整體觀念）的一種「復舊」。它雖然僅處於萌發和發展早期，僅展現在一些學說或不少的研究進展中，尚未成為西醫學科共同體的普遍信念和他們診療活動時自覺的行為取向，但由於它依託了精緻的「拆零」，故有可能在更扎實的根基上取得關於生命等問題認識的一系列的重大進展。然而，不管怎麼說，在這些方面，現在醫學俯下身來，認真謙虛地聆聽一下《黃帝內經》作者們的教誨，是會大有啟發和收益的。

（一）生理上整體有序

中醫學從「整體觀念」出發，認為人體本身是一個有機聯繫著的統一整體。在組織結構上，人體的各個臟腑器官都是整體的一個部分，在生命活動中必然受到整體的調控與制約。並且，各個臟腑之間也通過經絡、氣血等，相互聯通、相互影響。因此，整個人體被認為是一個以五臟為中心，六腑與之相為表裏，通過經絡系統「內屬於臟腑、外絡於肢節」。聯繫起五體、五官、九竅、四肢等全身組織，從而構成的統一整體。不僅結構上如此，另一方面，維持人體基本機能活動的物質，如精、氣、血、津液等分佈運行於全身各臟腑組織之間，互根互用、協調制約地完成著人的各種生理功能活動。物質上的同一性加強著這種整體聯繫。尤其重要的是，不僅人的生理結構與物質功能是相互關聯的，人的心理活動與生理功能也是密切聯繫，相互促進和協調制約的。「形神合一」就是指人的正常生理與心理機能的有機融合。而心理的失調往往可導致多種軀體疾病，故七情失節成為中醫學重要的病因之一。

（二）病理上局部影響整體

在認識和分析疾病的病理狀況時，中醫學也是首先從整體出發，將重點放在局部病變引起的整體病理變化上，並把局部病理變化與整體病理反應統一起來。一般來說，人體某一局部的病理變化，往往與全身的臟腑、氣血、陰陽的盛衰有關。由於臟腑、組織和器官在生理、病理上的相互聯繫和相互影響，因而就決定了在診治疾病時，可以通過面色、形體、舌象、脈象等外在的變化，來瞭解和判斷其內在的病變，以作出正確的診斷，從而進行適當的治療。

譬如，在診斷上，驗舌、把脈是中醫診療手段的特色，就是因為舌與脈和全身臟腑機能狀態緊密聯繫，其不同改變可以反映臟腑的功能情況。根據這一點在治療局部病變時，就必須從整體出發，採取適當的措施。如，心開竅於舌，心與小腸相表裏，所以可用清心熱瀉小腸火的方法治療口舌糜爛。它如「從陰引陽，從陽引陰，以右治左，以左治右」（《素問・陰陽應象大論》），「病在上者下取之，病在下者高取之」（《靈樞・終始》）等等，都是在整體觀指導下確定的治療原則。

由此，可以概括地說，所謂「整體觀念」，是強調觀察分析和研究處理時，須注意事物本身所存在的（包括自身內部所具有的及該事物與他事物間所具有的）統一性、完整性和聯繫性。運用探索人及其健康、疾病問題，就稱其為中醫學的「整體觀念」。

四、「左右逢源、上下貫通」是上工

在閒聊時曾聽到這樣一個有趣的事，一位姑娘不慎扭傷了右腳，腫得高高的，不能平放，一使勁就鑽心的疼，向朋友求治。正好他的朋友是位中醫愛好者，剛讀了一篇名為「上下左右，以痛為腧」的文章，文中提到人體的四肢及軀幹都存在著左右對稱、上下對應的情況，如果左膝出現疼痛，時間一長，右膝也會有不舒服的感覺，而且相對應的左肘關節也會出現不適。針對這一情況，當左膝出現疼痛時，去按摩右膝及左肘部相對應的部位，同樣也能起到治療的作用。那麼右腳扭傷了，按摩左腳相對應的部位不是同樣有治療作用嗎？他的朋友試著先在右腳扭傷處找到最痛的那個點，然後在左腳相同的部位進行按摩，約五分鐘後，左腳越按越疼，朋友讓她再堅持一會，並減輕了按摩的力度，與她聊天，分散注意力，半小時過去了，仔細一看，左腳按摩的部位居然青了一大快，可這時再看受傷右腳，腫居然消了很多，她站起來，走了幾步，發現不怎麼疼了，不影響走路了，第二天已恢復了正常。

後來，只要遇到腳扭傷的，姑娘如法炮製用這一招，還真靈，都是一次治癒。她還用這個方法治好了一個右手大拇指甲溝炎的病人。她向別人介紹說，這種治療方法非常簡單，只要找准左右對稱相同的部位按壓就行了，對身體又沒有任何的副作用，特別適合四肢部位所發生的病變。如果你感興趣的話，不妨試一試。

其實中醫治病不同於西醫的「頭痛醫頭，腳痛醫腳」，更注重整體觀念。就人體本身而言，不囿於發病的局部；對於病證，不但辨其發病部位的病理變化，還研究其發病部位以外的病理變化。從局部和臨近臟腑入手治療，療效不盡如人意。如果從整體觀念出發，全面細緻地診察病症，根據臟腑相關、經絡相通的原理，左右顧及、上下貫通，就會取得理想效果。譬如咳嗽咯血較甚，不但要弄清肺之病理變化，還要想到肺與大腸相表裏，實熱阻滯胃腸可導致肺氣不降而上逆為其發病之因，可用通降胃腸之法，腑氣得降，肺氣自不上逆，咳血可止。另外口舌生瘡通大腸，牙痛滋補腎陰以降火，採用浴足方治療高血壓病均是「上病下取」的事例。

曾治療一患者周某，四十六歲，來省城探親。邀餘診病。自述：時常感覺腦內有蟲鳴已五年，曾用多種藥物和針灸治療，均無療效，而且逐年發作，次數頻繁，腦內鳴聲也較前增大，常伴有耳鳴目眩。這次因長途旅行過度疲勞，腦內蟲鳴聲加重，影響睡眠。余診其頭面，外觀及血壓均正常，舌苔薄白，舌質淡，脈細弱，神疲納呆。取關元、氣海、足三裏、太溪穴，均用補法。次日復診，患者精神飽滿，高興地說：「昨晚睡眠很好，腦鳴也有好轉。」配方同前，繼續針刺五天，患者不僅腦鳴痊癒，而且食慾大增。患者求問：「以前我的頭部經針灸多次無效，今天您既沒有給我用藥，也沒有針灸我的頭部，卻治癒我的沉屙痼疾，是何緣故？」余曰：「按中醫辨證，此屬元氣虧虛，髓海不足所致。上病治下，取下面四穴，補腎健脾，大補元氣，定獲奇功。如果只頭痛醫頭，腳痛醫腳，則無效果。」

如同「上病下取」一樣，臨床上很多下部疾患，如肺氣不宣導致的小溲癃閉（尿瀦留），用宣肺的方法以啟上源，則立取疏浚之功。另外脫肛灸百會，點刺「報傷點」（位於上唇系帶中點，齦交穴附近，稍大於米粒狀的白色顆粒）的方法治療急性腰扭傷，都是「下病上取」的例子。

「舌是心苗」看全身

舌診是中醫最具特色的診法之一。中醫認為心開竅於舌，心的病變可以反映於舌。其實，五臟都有苗竅通於外，這些苗竅的變化，對於診斷內臟病變提供了重要的參考。這是中醫五臟一體觀的體現，是整體觀內容的一部分。

一、舌診是中醫的傳家寶

望舌診病，可以追溯到殷商時代，甲骨文中就有「貞疾舌」的記載，其中就含有診斷病舌的意思。兩千多年前《黃帝內經》中也有「心病者，舌卷短」，「心開竅於舌」「肺熱病者，舌上黃身熱」等記載。戰國時期的《難經》則說：「足厥陰氣絕，即筋縮引卵與舌卷」。東漢末年張仲景的《傷寒論》又對舌苔望診加以發揮。元代則有了《敖氏傷寒金鏡錄》這一舌診專著，其中記載了三十六種病態舌。到了清朝，隨著溫病學的發展，推動瞭望舌診病的進程。經歷代醫家的不斷補充，其內容日臻完善，成為中醫診察疾病中極為重要的一部分。

二、三寸之舌毛巧多——舌和臟腑的對應關係

現代醫學也認為，舌是人體反應最靈敏的器官，舌黏膜是體內細胞氧化代謝最活躍的場所，人體內各系統疾病均能在舌上反映出來，故有「舌之改變，常伴有系統紊亂」之說。可見，通過觀察舌的變化，來診斷內臟疾病，是有充分理論根據的。

中醫學更是系統的把舌與臟腑相對應起來，創立了一整套舌診的理論，並在醫學實踐中不

斷的驗證充實，有著極為豐富的內容。中醫學認為「心開竅於舌」，「舌為心之苗」，並把舌面分為四個區域和五臟六腑相應，即：舌尖區屬心、肺，舌中部屬脾、胃，舌根區屬腎，舌的兩邊屬肝膽。據此，這裏的「心」可以理解為是指以心為中心的五臟六腑，那麼舌就是反映五臟六腑狀況的一面鏡子、一塊標牌了。古人把寫舌診的專著取名叫《金鏡錄》、《舌鑒》等，可算是一語道破真諦。

要瞭解舌和疾病的關係，首先有必要來瞭解一下舌的構造。

三、能說會道有資本——舌的結構與生理功能

（一）舌的結構

舌附著於口腔底、下頜骨和舌骨，其上面叫舌背，中醫習慣叫舌面，下面稱舌底。舌表面有黏膜層。薄而透明；黏膜上有三種舌乳頭，即絲狀乳頭、菌狀乳頭和輪廓乳頭。在後兩種乳頭內有味蕾，所以舌有感受味覺，調節聲音，拌和食物等功能。舌下正中線上的黏膜皺襞，叫舌系帶，舌系帶兩側各有一根粗大的靜脈，古人稱「舌下大脈」。

舌的這種結構，和五臟六腑有密切的關係。《形色外珍簡摩．舌質舌苔辨》說：「夫舌為心竅，其伸縮輾轉，則筋之所為。肝之用也。其尖上紅粒，細如於粟者，心氣挾命門真火而鼓起者也，其正面白色軟刺如毫毛者。肺氣挾命門真火而生出者也，至於苔，乃胃氣之所薰蒸，五臟皆稟氣於胃，故可藉以診五臟之寒熱虛實也。」

（二）舌的功能

舌的功用不外乎辨別滋味，調節聲音，拌和食物等。正如《辨舌指南》說：「凡物入口，必乾於舌，故舌之功用，為食物辨味及發聲。凡食物自口下於胃，謂之下嚥」。吞咽是食物經咀嚼成為食糜後，由舌的翻卷推入咽喉。而引起喉頭上舉等一系列反射動作，使食物人胃。故在吞咽過程中，舌的翻捲動作是重要的組成部分。舌在發音過程中，與語言的清晰、音量的大小也有關係。

四、察舌驗苔要仔細，寒熱虛實有道理

常言道：每天照一照，有病早知道。一個健康的人，面對鏡子看自己的舌頭，應當是舌體柔潤，舌質淡紅，舌面上鋪有薄而均勻的顆粒、乾濕適中的白苔，此謂「舌淡紅，苔薄白」，也就是正常的舌象。但是，患病後，舌質與舌苔就會發生變化。因此，經常觀察舌象，可以瞭解健康狀況，及時進行自我保健與調理。

中醫對舌診之說，又包含著「舌」和「苔」兩個方面，舌是指舌的本質，苔是指舌上的一層苔垢。在診斷上是有分別的，但在反映病情的具體情況中，兩者各有重點卻又互相印證。

（一）望舌質

1、舌質的形成及意義

望舌質主要看顏色，它能反映臟腑、氣血、虛實的變化。舌質顏色淡紅、潤澤、白中透紅、津液潤澤，說明此人身體健康。正如《醫門棒喝》所說：「觀舌本（即舌質），可驗其陰陽虛實；審苔垢，即知其邪之寒熱淺深也。」望舌質主要觀察舌色、舌形、舌態等內容。

2、常見舌質及意義

淡白色：舌色較正常的淡紅舌淺淡，甚至全無血色。常常為血虛證或氣虛證，多見於大病之後、久病之後或者先天不足的人。前者是體內血液虧少，舌體得不到血液的充養而色淡，後者是推動血液的動力不足了，血液也不能營養舌體而淡白。血虛除了舌色淡之外，舌往往較正常為瘦小或薄，氣虛陽虛除了舌色淡之外，舌往往還會胖嫩或者舌邊有齒痕。

紅舌：這種舌象正好和淡舌相反，舌色比淡紅舌深，甚至全舌發紅。紅舌是由於血液運行加快，舌體動脈過度充血所致，因此在疾病中多為熱證，發燒時常見這種舌色。初得病時，舌邊紅表明熱在表，如感冒、痲疹；全舌深紅時就是熱已入裏，病情較重了。在普通人，舌尖紅者為心火太盛，多見心煩失眠等表現；舌邊紅者為肝膽火盛，多見急躁易怒；舌中紅者，為胃火太盛，常有燒心泛酸等表現，以上的種種熱象都屬於中醫學的實熱，也就是我們常說的「上火」，這種火可以用苦寒瀉火的方法進行治療，比如黃連、黃芩等等。若舌紅的同時又見到舌體瘦小，或者舌苔少或者剝脫甚至沒有舌苔的時候，多為陰虛內熱，也就是虛熱，這種熱多表現為手心熱、腳心熱、心中煩熱而失眠、夜間身熱出汗，大便乾燥、小便黃或黃赤有熱感，等等。這樣的熱屬於中醫說得虛火，或者虛熱，既然是虛就要用補的方法來治療，不可妄用瀉火。關於「瀉火」與「消炎」的異同，我們會在專門的一章詳細論述。

絳舌：是比紅舌顏色更深的舌色，有時就像楊梅的顏色。所以常常提示體內的火熱更加嚴重，和紅舌一樣，表熱、裏熱、實熱和虛熱，皆可見此舌，惟寒證不見此舌色，所以常常稱其為紅絳舌。紅絳舌，在臨床上有多種表現，常見的如芒刺、星斑、乾燥、裂紋等。

這裏需要說明的是，虛實證的紅絳舌是有鑒別的。內傷雜病見紅絳舌，一般為虛熱，系指陰虛陽亢，舌質為舌心乾紅，光嫩無苔。在臨床上有個特點：口不渴，或雖渴而喜熱飲。若漱水不欲咽下者，為瘀熱。為何同樣是一個紅絳舌，憑其口渴和不渴、喜冷飲和喜熱飲，而能區別其虛實呢？這一點，就決定於實熱和虛熱之間的病種完全不同。實熱，多數急性傳染病，人體免疫反應性強，新陳代謝旺盛，因高熱容易發生脫水及代謝紊亂，故口渴欲冷飲，實際是機體的滋味功能。虛熱，則見於慢性感染、甲狀腺功能亢進、高血壓、糖尿病及一切慢性消耗性疾病，正因為其病程長，發展慢，基礎代謝逐漸地增高，失水也不急驟，代謝程度不嚴重，更重要的一點是機體已有適應能力；所以同樣一個鏡面舌，口不渴而喜溫飲了。

紫舌：是紅中帶藍的色彩，所以，紫舌在診斷疾病的含義上也有兩個方面。如果屬於紅色多，也就是「大紅大紫」的時候，又叫絳紫舌，說明體內熱多，血液受熱的煎熬而濃縮產生舌上血液流通不暢的狀態，這個時候舌面常常是乾燥的。熱性病間絳紫舌，提示有嚴重感染，即將發生中毒性休克、呼吸循環衰竭。

如果屬於藍色多，而且舌面上是濕潤的，有時叫它青紫舌，則說明體內有寒，血液因為受寒而凝固形成淤血不通的狀態。所以，紫舌是和淤血密切相關的，至於是因寒而瘀，還是因熱而瘀就要細細辨別了。

青舌：全舌呈均勻青色，古人形容如水牛之舌。我們常說因為冷而「面色發青」，說明青色多和寒冷、淤血有關。青舌也不例外，多為寒證和淤血，多見於胸腹劇痛時，如膽道蛔蟲、心絞痛、腸梗阻。而紫色，或舌的局部見到青紫色斑塊或淤點，在現代人中多見於脂肪肝、肝硬化、腫瘤病人。此外，嗜煙酗酒者因為火毒內蘊，阻塞經脈，也常見紫舌。

望舌質就好比是「烤肉條」，若肉條在水中浸泡，則顏色淡、發胖、質嫩而滑；若肉條在陽光下曝曬，則顏色深紅蒼老而堅斂。因此，舌質：淡、胖、嫩、滑則為虛，或為陽虛，或為血虛，或為氣虛等。蒼、老、堅、斂則為實，或為熱證，或為裏實熱證或見於臟腑熱，或見於外感熱病極期。由此，一實一虛，了然心中。這裏，胖瘦、老嫩等實際上屬於望舌形的內容，看舌形目的也在於鑒別疾病的寒熱虛實。

3、舌形

舌形是指舌體的形態，包括大小、胖瘦、老嫩等內容。舌體分大小。若舌體瘦小而薄，總為虛證，乃陰血虧虛，舌體不充之象。薄瘦而色淡者，多為氣血兩虛；薄瘦而色紅絳且乾者，多為陰虛火旺，津液耗傷所致。舌體大，又有胖嫩、腫脹之分，進而分虛實。若舌體胖大而淡，則為虛寒，大多為脾腎陽虛，津液不化，水飲痰濕阻滯所致；若舌體腫大而深紅，甚則重舌，則為實，多為心脾熱毒熾盛。若舌腫胖，色青紫而暗，多見於中毒。

4、舌態

舌本肌性器官，故而生來柔軟，調動自如，受舌下神經支配。望舌態是指望舌的活動姿態。舌態正常，說明無病，就是有病，一般也輕。舌態異常，概括而言不外乎兩大類，一是運動亢奮，包括顫動、吐弄、僵硬、短縮等等；另一類是運動減弱，包括萎軟、歪斜、痲痹等等。舌態失常往往和神經系統疾病密切相關。如有的病人突然出現舌頭強硬，運動不靈活，或不停顫動，乃至舌體偏向一側等亢奮性表現，說明神經系統有某種損害，要考慮到中風、癲癇、肝昏迷發生的可能。

有的人久病而見舌體軟弱，伸卷無力運動減弱的狀態，是氣血虛極、陰液虧耗造成的，宜迅速補氣養血增液。還有的病人反復將舌伸出口外，在口唇、口角四下吐弄的，發生於成人則多為心脾有熱、疫毒攻心或正氣已絕的危象，小孩則多為智慧發育不良的表現，臨床上如高熱、毒血症和伸舌樣癡愚者皆可見到。

（二）望舌苔

俗話說「不怕舌上髒，就怕舌上光」。「舌上髒」，指舌上有物；「舌上光」，指舌上無物。舌上之物，苔也。為何舌上有苔則「不怕」，舌上無苔而「怕」，這是因為舌苔的變化主要用來判斷感受外邪的深淺、輕重，以及胃氣（正氣）的盛衰。舌上無苔常常說明人的胃氣已經衰敗，病情危篤。下面詳細談談舌苔的形成以及常見舌苔與疾病的關係。

1、舌苔的形成和意義

舌苔，在仲景書上，成為舌胎，所謂胎者，實寓懷胎之意。到了清朝，始稱之為舌苔。舌苔是胃之生氣所現。章虛穀說：「舌苔由胃中生氣以現，而胃氣由心脾發生，故無病之人，常有薄苔，是胃中之生氣，如地上之微草也，若不毛之地，則土無生氣矣」。吳坤安說：「舌之有苔，猶地之有苔。地之苔，濕氣上泛而生；舌之苔，胃蒸脾濕上潮而生，故曰苔。」中醫認為，舌苔是水穀精氣，也就是飲食物經過脾胃消化以後形成的營養物質，升騰於舌上的一種表現。所以苔的變化反映了脾胃功能的強弱和邪氣的深淺輕重，這種變化常常表現為舌的顏色和質地的改變。

正常情況下舌有自潔作用，其因素有二：一為口腔的咀嚼吞咽動作，對舌面發生了機械性的摩擦作用，促使舌苔變薄；而舌根部與上齶的距離較寬舒，摩擦作用少，只靠吞咽動作去清除，因此舌根部的苔就比較厚而明顯。另一因素是唾液和飲食的沖洗，使舌具有自潔作用。由於上述兩種因素，正常人的舌苔是薄白而勻淨，中間舌背和舌根稍候，乾濕得中。

2、常見舌苔的診斷意義

舌苔的變化主要包括苔色和苔質的改變兩種情況。

（1）苔質。指舌苔的形質。包括舌苔的厚薄、潤燥、糙粘、腐膩、剝落、有根無根等變化。

厚薄：厚薄以「見底」和「不見底」為標準。凡透過舌苔隱約可見舌質的為見底，即為薄苔，屬正常舌苔。如果身體有病的時候，舌苔薄而不厚，說明疾病初起或病邪在皮毛肌表，病情較輕。不能透過舌苔見到舌質的為不見底，即是厚苔。多為病邪入裏，或暴飲暴食，飲食精細，運動少導致胃腸積滯而成，也就是俗稱的吃多了。現代醫學也提示，舌苔的厚薄與食慾、食量及食物的性質有關：當病人便秘，慢性腹瀉、消化不良時可以見到厚苔；舌苔早晨的時候厚膩，伴有飲食無味，或有腹脹，腹瀉時，多為飲食過量，即食積證。

此外，觀察苔的厚薄，對分析疾病的輕重及轉歸也有一定意義：一般講，舌苔由薄轉厚，表示病邪由表入裏，病情加重；而苔由厚轉薄，則多為正氣來複，邪氣消退，疾病趨於康復。

潤燥：由於口腔內不斷分泌唾液，使舌面常常潤澤的，這是人體健康一個非常重要的標誌，我們可以看一下「活」字的構成，不就是「舌」上有水麼?舌有津液，稱為潤苔。在疾病中舌苔若潤澤，乾濕適中，提示雖病而津液未傷；若水液過多，甚至伸舌涎流欲滴，為滑苔，是有濕有寒的反映，多見於陽虛而痰飲水濕內停之證。若望之乾枯，捫之無津，為燥苔，由津液不能上承所致，多見於熱盛傷津、陰液不足，陽虛水不化津，燥氣傷肺等證。

所以，觀察舌苔潤燥的變化，主要可以瞭解體內津液盛衰變化，尤其在熱性病過程中，可以掌握傷津的程度。

腐膩：苔厚而顆粒粗大疏鬆，形如豆腐渣堆積舌面，指之可去，稱為「腐苔」。因體內陽熱有餘，蒸騰胃中腐濁之氣上泛而成，常見於痰濁、食積，且有胃腸鬱熱之證，如痞積、痢疾等。忌用溫燥宣化之劑，大忌發表，適合清化導下或補消結合。很多內臟生癰也可見腐苔，如肺癰（肺化膿症、闌尾周圍膿腫）多白腐苔；肝癰（肝膿瘍）多紫黑腐苔。古人認為「無論白腐、黃腐，其病總多不治」。隨著時代的發展，很多內癰，在今日可借助於外科手術而得治癒了。

苔質顆粒細膩緻密，指之不去，刮之不脫，上面罩一層不同膩狀黏液，稱為「膩苔」，多因脾失健運，濕濁內盛，陽氣被陰邪所抑制而造成，多見於痰飲、濕濁內停等證，如慢性腎炎、老年慢性支氣管炎、哮喘、消化不良等。

剝落：患者舌本有苔，忽然全部或部分剝脫，剝處見底，稱剝落苔。若見舌苔中間一小塊剝脫，叫做穿心舌，常見於小兒，屬傷陰的一種表現，常提示體內營養缺乏，如小兒偏食等造成的體內某些營養素的缺乏；若苔剝呈現地圖樣，邊緣凸起，稱為地圖舌，兒童多見，多為陰虛之體；若全部剝脫，不生新苔，光潔如鏡，稱鏡面舌、光滑舌，提示胃陰枯竭、胃氣大傷、病情危篤，如果老年人出現鏡面舌，則要警惕肺心病的存在。

若舌苔剝脫不全，剝處光滑，餘處斑斑駁駁，存留如豆腐屑鋪於舌面，東一點，西一點，散離而不連續，稱花剝苔，現代醫學稱之為地圖舌。有人認為花剝苔的出現，皆因誤用攻伐清導之劑，或誤用解表之故，是胃之氣陰兩傷所致。

總之，舌苔從有到無，是胃的氣陰不足，正氣漸衰的表現；但舌苔剝落之後，複生薄白之苔，乃邪去正勝，胃氣漸複之佳兆。值得注意的是，無論舌苔的增長或消退，都以逐漸轉變為佳，倘使舌苔驟長驟退，多為病情暴變的徵象。

有根苔與無根苔：無論苔之厚薄，若緊貼舌面，似從舌裏生出者是為有根苔，又叫真苔；若苔不著實，似浮塗舌上，刮之即去，非如舌上生出者，稱為無根苔，又叫假苔。有根苔表示病邪雖盛，但胃氣未衰；無根苔表示胃氣已衰。

總之，觀察舌苔的厚薄可知病的深淺；舌苔的潤燥，可知津液的盈虧；舌苔的腐膩，可知濕濁等情況；舌苔的剝落和有根、無根，可知氣陰的盛衰及病情的發展趨勢等。

（2）苔色。即舌苔之顏色。一般分為白苔、黃苦和灰、黑四類及兼色變化，由於苔色與病邪性質有關，所以觀察苔色可以瞭解疾病的性質。舌態顏色的變化常常和熱有關係。我們可以把望舌苔比作是「貼餅子」，若火旺，輕則餅子發黃，重者餅子發灰、發黑而乾；若火不足，餅子掉入水中，輕則白厚、鬆散，日久則發黴，發灰、發黑，但總是濕潤的。故望舌苔，除注重其色外，舌苔之乾、潤，對判定虛實寒熱，非常重要。

白苔：一般常見於表證、寒證。由於外感邪氣尚未傳裏，舌苔往往無明顯變化，仍為正常之薄白苔。若舌淡苔白而濕潤，常是裏寒證或寒濕證。但在特殊情況下，白苔也主熱證。如舌上滿布白苔，如白粉堆積，捫之不燥，為「積粉苔」是由外感穢濁不正之氣，毒熱內盛所致，常見於瘟疫或內癰（如肺膿腫，肝膿腫，闌尾炎等）。再如苔白燥裂如砂石，捫之粗糙，稱「糙裂苔」，皆因濕病化熱迅速，內熱暴起，津液暴傷，苔尚未轉黃而裏熱已熾，常見於溫病或誤服溫補之藥。

黃苔：一般主裏證、熱證。由於熱邪熏灼，所以苔現黃色。淡黃熱輕，深黃熱重，焦黃熱結。外感病，苔由白轉黃，為表邪入裏化熱的徵象。若苔薄淡黃，為外感風熱表證或風寒化熱。或舌淡胖嫩，苔黃滑潤者，多是體內有寒而不能推動津液輸布全身所致。

灰苔：灰苔即淺黑色。常由白苔晦暗轉化而來，也可與黃苔同時並見。主裏證，常見於裏熱證。苔灰而乾，多屬熱熾傷津，可見外感熱病，或陰虛火旺，常見於內傷病。苔灰而潤，見於痰飲內停，或為寒濕內阻。

黑苔：黑苔多由焦黃苔或灰苔發展而來，一般來講，所主病證無論寒熱，多屬危重。苔色越黑，病情越重。如苔黑而燥裂，甚則生芒刺，為熱極津枯；苔黑而燥，見於舌中者，是腸燥屎結，或胃將敗壞之兆；見於舌根部，是下焦熱甚；見於舌尖者，是心火自焚；苔黑而滑潤，舌質淡白，為陰寒內盛，水濕不化；苔黑而粘膩，為痰濕內阻。

舌苔，黃、灰、黑、乾，則為實。主裏熱證。一般來講，苔色越深，反映熱邪越重，淡黃為熱輕，深黃為熱重，焦黃為熱結，灰黑多為焦黃苔發展而來，常見於疾病的嚴重階段，多為熱極津枯，不僅見舌乾，還可見燥裂，甚則生芒刺；白厚、鬆散、灰、黑、潤，則為虛。主陽虛，或為陽虛寒盛，或為脾腎陽虛，津液不化，水飲痰濕阻滯所致。

（三）注意假苔

上面主要從舌質和舌苔兩方面談了常見病態舌的表現和它們的臨床價值。所謂「假苔」，指的是由於非疾病因素而出現的貌似病態舌的現象，中醫稱之為「染苔」。「染苔」不提示疾病，自然不必緊張。導致「染苔」的原因有多種，最常見的原因是和飲食有關。

如飲牛乳或乳兒因乳汁關係，大都附有白苔；食花生、瓜子、豆類、桃仁、杏仁等富含脂肪的食品，往往在短時間內使舌面附著黃白色渣滓，好像腐膩苔；吃酸梅湯、喝咖啡、茶、葡萄汁或酒、成皮梅、鹽橄欖等含鐵的補品，往往使舌苔呈現黑褐色或茶褐色；食蛋黃、橘子、柿子及有色糖果等，或服用黃連粉、核黃素等藥物，都可使舌苔變黃。此外，由於進食的摩擦，或有刮舌習慣，往往使舌苔由厚變薄；過冷或過熱的飲食及刺激性食物常使舌色改變，張口呼吸或剛剛飲水，會使舌面潤燥改變，等等。這些情況應該注意鑒別。

五、四診合參，方寸不亂

舌是反映五臟六腑狀況的一面鏡子，是病變的招牌。舌的病理變化，反映了人體生理機能的變化，但這並非是全面的，因人體的機理病變非常複雜，同樣有些局部疾患不表現在舌苔上，或舌苔的表現與病情的變化是不一致的。因此，舌診的同時，必須配合歸納其他多方面的各部診斷，以符合具體病況在臨床上得到全面反映的要求，從而達致更高的療效。

還有一種情況，有人雖出現了以上描寫的病理舌，卻沒有疾病表現，說明他本身具有這種生理上適應的內應性，就不必視為病態，更不必驚慌。何況祖國醫學是用「望、聞、問、切」四診合參的方法診病的，「舌診」又僅是望診中的一部分，就不能把它作為診病的惟一標準。還有的人因經常喝酒，飲用咖啡、巧克力、可樂、桔子汁，口服某些藥物等也會造成假苔的，在診斷疾病時必須仔細鑒別，不能盲目把現象看成本質。另有個別人以「潔舌自好」，養成刮舌苔的壞習慣。殊不知，這樣做一來隱蔽了真相，不利於醫生準確地判斷病情；二來經常刮舌還有可能損傷舌上的絲狀乳頭和味蕾細胞，而成為「不知食味」的味盲。況且這種圖一時口內爽快的笨法，並沒有解除病根，舌苔被刮之後還會馬上生出的，正確的方法是馬上就醫，給予治療。

脈診神功

傳說，古時因為宮廷尊卑有序、男女有別，御醫為娘娘、公主們看病，不能直接望、聞、問、切，只能用絲線一端固定在病人的脈搏上，御醫通過絲線另一端的脈象診治病情，俗稱「懸絲診脈」。在我國古代神話小說《西遊記》中，也有關於孫悟空「懸絲診脈」的記述。「懸絲診脈」真的能看病麼？

一、「懸絲診脈」暗藏玄機

施今墨是舊時京城四大名醫之一，曾為清朝皇室內眷看過病。施老先生說，「懸絲診脈」

亦「真」亦「假」：「真」是說真有這回事；「假」是說這純屬一種形式。舊時，娘娘、公主們生病，總有貼身的太監介紹病情，御醫也總是詳細地向太監詢問各種情況，諸如舌苔、大小便、飲食、病症狀況等。為了獲得真實而詳盡的情況，御醫們常常給太監送禮，得到這些最貼身情報後，御醫也就胸有成竹了。

「懸絲診脈」時，太醫必須屏息靜氣，沉著認真。這樣做，一是謹守宮廷禮儀，表示對皇室的尊敬；二是利用此時字斟句酌，暗思處方，準備應付，以免因說錯話或用藥不慎而惹禍。可見，「懸絲診脈」雖確有此事，不過是蒙上了神秘色彩的騙人形式而已。如果太醫事先不通過各種途徑獲知詳細病情，不論他醫術多高明，光靠「懸絲診脈」，是不會看好娘娘、公主們的病的。

二、診脈有理

通俗地講，脈象就是血液在血管中流動時我們所察知的感覺。脈，指脈道。《素問・脈要精微論》說：「夫脈者，血之府也。」《中藏經》也說：「脈者，謂血氣之先也。」說明脈不單是血液彙聚的地方，也是氣血運行的道路。心臟跳動而推動血液在脈管中流動時產生的搏動，稱為脈搏，人身氣血之所以沿著脈管而源源不斷地運行，主要原因有兩個方面：一是心與脈相連，而脈為血之府，它們在組織上互相溝通，共同組成「心主血脈」的活動整體；二是心臟的跳動，脈道之約束以及血液的質和量，三者在功能上是相互為用的。這種組織與功能關係所展現的「心動應脈」而脈動應指的形象，就稱為脈象。所謂脈象，實際上是指血脈搏動所顯現的部位(深淺)、速率(快慢)，形態(長短、大小)、強度(有力或無力)、節律(整齊與否)等組成的綜合形象。

(一) 脈象的形成

不僅與心、血、脈三者有關，同時與整個臟腑機能活動的關係也非常密切。人身氣之來源與肺有關，血之生化源於中焦水穀之氣，血之運行歸心所主，歸脾所統，歸肝所藏，且賴肺氣的調節，而後流佈經脈，灌溉臟腑，佈於全身。血為陰精，而腎主藏精，中焦之營氣，化赤為血都必須借命門真火的溫養，而後始能生化以充養血脈。所以脈中的血流情況和表現於脈的形象，都與整體臟腑功能活動息息相關。此外，血為神、氣的物質基礎，且血與精、氣、津、液同屬於水穀精微所化，它們之間的關係是既相互資生，又相互影響。所以血液的盈虧和血行的流滯，同營衛、津液、精神等，也有一定的關係。

（二）切脈，為臨床診斷疾病的重要手段之一

如《靈樞・逆順篇》說：「脈之盛衰者，所以候血氣之虛實，有餘不足」。《素問・脈要精微論》亦說：「夫脈者，血之府也，長則氣治，短則氣病，數則煩心，大則病進」。之所以通過切脈能夠診斷疾病的變化，主要是因為：脈為氣血運行的道路，人體各臟器組織與血脈是息息相通的，而脈與心又密切相連，心為氣血運行的動力，心神與各臟腑的功能活動密切相關。故人體氣血的多少，氣血運行的狀況，臟腑功能活是否正常，病變過程中正邪的消長等

等，都能直接或間接的影響於心脈。因此，通過切脈能夠診斷疾病。

三、診脈有道，虛靜為保

（一）診脈法是中醫診斷學上一大創造

診脈是診病的上乘功夫。切脈時還有許多講究，首先切脈時應注意安靜的環境，如患者剛經過劇烈的活動，應先讓休息片刻，然後診脈。切脈者必須呼吸均勻，態度認真，把注意力集中於指下細心地分辨脈象。每次診脈時間，古人認為不應少於五十動，現代要求不應少於一分鐘。其次號脈還要選準部位，掌握好方法。

（二）部位

《內經》中曾有「遍診法」和「三部診法」的記載，也就是說體表可摸到的動脈都是中醫號脈的地方。「遍身診」後來已不常用，甚至不用。其實，這種方法即使在今天仍有實際意義。我們知道，血液在心臟收縮時產生的壓力波叫脈波，脈波通過動脈管傳到周身。脈波的形狀隨循環系統情況的改變而改變，它反映心臟的情況，也反映動脈管的彈性情況。所以，觀察全身各處的脈搏形狀，可以得到更全面的診斷體征。例如因肢體積血，可使上肢和下肢的一些動脈搏減弱或消失。對這樣的病人進行「遍身診」，就可以幫助瞭解他的血管的病理情況。又如對心臟病人和血栓閉塞性脈管炎病人，用「遍身診」也很有意義。

現在診脈，主要是按摸手腕上的橈動脈，也就是人們說的「診寸口」。寸口分寸、關、尺三部，以高骨（橈骨莖突）為標誌，其稍內方的部位為關，關前（腕端）為寸，關後（肘端）為尺。兩手各分寸、關、尺三部，共六部脈。寸、關、尺三部可分浮、中、沉三候，是寸口診法的三部九候。

脈診獨取寸口的理論根據有二：一是肺朝百脈，脈會太淵。即人體各經脈均會集於肺，而寸口為手太陰肺經的循行部位，其上之太淵穴，是脈會之處，所以有「脈會太淵」之說。二是脾胃為各臟腑氣血之源，各臟腑氣血之盛衰，與脾胃功能之強弱有著密切的關係，而手太陰肺經亦起於中焦脾功能之狀況。因此，全身臟腑經絡氣血之盛衰，都可以從寸口脈上反映出來。

（三）方法

切脈時讓病人取坐位或仰臥位，手前臂與其心臟近於同一水準，手掌向上，前臂平放，以使血流通順。寸口脈分寸、關、尺三部。對成人切脈，用三指定位，先用中指按在高呈弓形斜按在同一水準，以指腹按觸脈搏，以按脈。三指的疏密，應按病人的高矮作適當調整。小兒寸口脈部位狹小，不能容納三指，可用「一指（拇指）定關法」而不細分三部。三歲以下的小兒，可用望指紋代替切脈。

（四）三部九候

開始輕用力，觸按皮膚為浮取，名為「舉」；然後中等度用力，觸按至肌肉為中取，名為「尋」；再重用力觸按至筋骨為沉取，名為「按」。根據臨證的需要，可用舉、尋、按或相反的順序反復觸按，也可分部取一指按壓體會。寸、關、尺三部，每部都有浮、中、沉三候，稱謂三部九候。

（五）注意影響因素

正常脈象隨人體內外因素的影響而有相應的生理性變化。

四時氣候：由於受氣候的影響，平脈有春弦，夏洪，秋浮，冬沉的變化。此因人與天地相應，人體受自然界四時氣候變化的影響，生理功能也相應地變化，故正常人四時平脈也有所不同。這叫脈應四時氣候而變動

地理環境：地理環境也能影響脈象，如南方地處低下，氣候偏溫，空氣濕潤，人體肌腠緩疏，故脈多細軟或略數；北方地勢高，空氣乾燥，氣候偏寒，人體肌腠緊縮，故脈多表現沉實。

性別：婦女脈象較男子濡弱而略快，婦女婚後妊娠，脈常見滑數而沖和。

年齡：年齡越小，脈搏越快，嬰兒每分鐘脈搏一百二十～一百四十次；五六歲的幼兒，每分鐘脈搏九十～一百一十次；年齡漸長則脈象漸和緩。青年體壯脈搏有力；老人氣血虛弱，精力漸衰，脈搏較弱。

體格：身軀高大的人，脈的顯現部位較長；矮小的人，脈的顯現部位較短，瘦人肌肉薄，脈常浮；肥胖的人，皮下脂肪厚，脈常沉。凡常見六脈沉細等同，而無病象的叫做六陰脈；六脈常見洪大等同，而無病象的，叫做六陽脈。

情志：一時性的精神刺激，脈象也發生變化，如喜則傷心而脈緩，怒則傷肝而脈急，驚則氣亂而脈動等。此說明情志變化能引起脈象的變化，但當情志恢復平靜之後，脈象也就恢復正常。

勞逸：劇烈運動或遠行，脈多急疾；人入睡之後，脈多遲緩；腦力勞動之人，脈多弱於體力勞動者。

飲食：飯後。酒後脈多數而有力；饑餓時稍緩而無力。

此外，有一些人，脈不見於寸口，而從尺部斜向手背，稱斜飛脈；若脈出現於寸口的背側，則稱反關脈，還有出現於腕部其他位置者，都是生理特異脈位，是橈動脈解剖位置的變異，不屬病脈。

四、憑脈辨證

憑脈辨證，是中國傳統的醫術。中醫治病，不是單靠診脈，而是「望、聞、問、切」四診合參，某種病變需用舍脈求證和求脈舍證來辨證分析，診脈不過是切診中的一個主要手段。晉代名醫王叔和寫過一部《脈經》，他把五臟分屬到不同部位的寸、關、尺上，來分辨五臟六腑疾病的輕重。並根據脈搏的快慢、有力無力、脈幅是大是小、節律整齊還是紊亂等情況，區分為二十七種脈象。

（一）常人無病為平脈

醫生依據平脈作標準進行比較，分析病脈。所謂平脈，就是正常的脈象。特點是每分鐘跳動七十~八十次左右，節律規則，脈型不粗不細，不浮不沉，不剛不弱。並常隨季節、年齡、性別、體質等會有差異。中醫將正常人的脈歸結為六個字「有胃、有氣、有根」。

有胃：有胃氣的脈象，古人說法很多，總的來說，正常脈象不浮不沉，不快不慢，從容和緩，節律一致便是有胃氣。即使是病脈，無論浮沉遲數，但有徐和之象者，便是有胃氣。

脈有胃氣，則為平脈，脈少胃氣，則為病變，脈無胃氣，則屬真髒脈，或為難治或不治之徵象，故脈有無胃氣對判斷疾病凶吉預後有重要的意義。

有神：有神的脈象形態，即脈來柔和。如見弦實之脈，弦實之中仍帶有柔和之象；微弱之脈，微弱之中不至於完全無力者都叫有脈神。神之盛衰，對判斷疾病的預後有一定的意義。

但必須結合聲、色、形三者，才能作出正確的結論。脈之有胃、有神，都是具有沖和之象，有胃即有神，所以在臨床上胃與神的診法一樣。

有根：三部脈沉取有力，或尺脈沉取有力，就是有根的脈象形態。或病中腎氣猶存，先天之本未絕，尺脈沉取尚可見，便是有生機。若脈浮大散亂，按之則無，則為無根之脈，為元氣離散，標誌病情危篤。

（二）位數形勢看病脈

中醫看病，通過脈象的變化，既可以搜集病情資料，又可以瞭解正氣的強弱，還有助於預測病情是趨於好轉或是趨向惡化。

感冒了，將手輕輕按在橈動脈上，常能明顯地覺察到脈搏的跳動，稱為浮脈，中醫形容它好像是木頭漂在水面上一樣，所謂浮脈如「水中漂木」。浮脈在其他外感疾病的初期階段也常見到，表示病變部位較淺。如果必須用力按壓，才能觸知脈搏的跳動，稱為沉脈，常見於不少慢性病，表示病變部位較深，已經涉及臟腑。脈搏跳動增快，稱為數脈，大多是熱性病證的反映。脈搏跳動減慢，稱為遲脈，含有姍姍來遲的意思，是寒性病症的表現。脈搏跳動無力，稱為虛脈，說明正氣不足。如果病人氣陰兩虛，常常出現一種細弱的脈象，中醫形容它是「細如絲線」。脈搏跳動有力，稱為實脈，表示正氣尚強。如果病人正氣旺盛，而邪熱也盛，往往出現一種洪大的脈象，好像波濤洶湧，來盛去衰。

有些脈象，對於某些疾病有比較重要的參考價值。比如脈象不柔和，繃得較緊，好像按在弓弦上一樣，稱為弦脈，往往提示病人可能患有動脈硬化症或高血壓病。脈搏跳動不規則，常有停頓，或時強時弱，稱為結代脈，大多見於心臟病人。脈搏往來流利，稱為滑脈，中醫形容它是「如珠走盤」，一般多見於痰飲病人，但也不可一概而論，弦脈也常見於一般痛症或外感病證，偶爾的結代脈有時心臟並無疾病，至於滑脈在正常的妊娠婦女中更是常見。

脈象還有助於判斷預後，病情雖然沉重，但脈象和緩和力，仍有轉機；如果脈象細微欲絕，簡直摸不清楚，則是預後不良的象徵。

總而言之，摸脈是一種重要的診病手段，也是中醫診病的一種獨特方法，是四診中的重要環節。如果以為短小的方寸之地，不能窺察內臟的全景，那麼請問：簫笛上面的六個音孔，不也是相距密邇嗎？為什麼吹一口氣，六個指頭按動，便演化出一二三四五六七各種音色和曲譜呢？

五、心中了了，指下難明

《難經》說：「切而知之謂之巧」。通過切脈能夠判斷病情的醫生稱得上能工巧匠，前提是具備精深的脈診工夫。所謂「心中了了，指下難明」，說的是古來許多大醫生，沒有不是曾經在脈診上做過功夫的;同時脈學也不是一種「一蹴即就」的學問,「脈候幽微,苦其難別,意之所解,口莫能宣」,形容了脈學並非只憑淺嘗就可以成功,必須深入體會才能逐步掌握其精神與實質的。也就是「學者精勤,熟能生巧」。

脈診雖然重要,但它不是萬能的,更不可能包診百病,許多病症是摸不出來的,哪位高手若不服,不妨現場試試。話再說回來,許多名醫的脈診工夫確實了不得,差不多可以像扁鵲那樣,「言人生死每奇中」,看似虛玄,如有遇仙之感,實則是多年修煉的真工夫,所謂「博涉知病,多診識脈」是也。下面摘錄幾則軼案,領略一下名家的脈診神功。

隔帳診出男女異脈——東漢時,名醫郭玉為太醫丞。和帝聽說他脈診高明,便有意試驗一下。他令身邊一個長著細嫩手臂的侍臣與一個女子藏於帳內,讓郭玉隔帳為女子診病。郭切脈後說:「左陰右陽,脈有男女,狀若異人,臣疑其故」。——左手脈摸著像女人,右手脈摸著像男人,一個人的脈同時見有男女之象,這人很奇異,我懷疑有什麼緣故。和帝連連稱善,讚歎不已。

老嫗相思脈測定——山西某巡撫的母親患病,巡撫委託陽曲縣知縣請傅青主為其母親治病。傅說,「看病可以,但我不願意見貴人。」(青主一向藐視滿清權貴)知縣轉告巡撫迴避,由他陪同看病。傅山診脈後，生氣地說：「偌大年紀，怎能得了這種病？」知縣問得了什麼病，傅青主說：「相思病，得自昨天中午。」知縣便向巡撫稟報。巡撫覺得奇怪，他母親聽見了，感歎地說：「神醫，神醫，昨天中午，我翻箱倒櫃，見到你父親的一雙鞋，病就發作起來了。」知縣請傅青主開方，果然藥到病癒。

以上兩案都出自稗史筆記，與官書、正史不同，它是反映民意的民間史料，未必是史實真事，但卻反映了民眾的願望，當然亦應是良醫追求的深妙境界。

幾十年來，為了儘量避免診脈的主觀性，許多科技工作人員對脈診客觀化進行了探索。有人用脈象儀初步描出了各種不同的脈象；有人用心電圖研究脈象產生的原理。據報導，二〇〇六年香港理工大學生物識別技術研究中心將生物認證技術應用於醫療，研發舌診及脈診系統，結合生物認證及中醫診斷，使傳統中醫的診斷更客觀化。

「面若桃花、掩口輕咳」是病態美

提到病態美，首先會想到林黛玉。她病怏怏氣質成就了她美的流傳。大家都知道林黛玉那病西施的樣子，態生兩靨之愁，嬌襲一身之病，病如西子勝三分，後來輕咳掩面，痰帶血絲。現在推測她可能患肺結核，從表現看屬陰虛內熱。嘴唇鮮紅是陰虛火旺，有熱在身，火氣上行的說法有科學的依據嗎？

《素問・陰陽應象大論》稱：「天地者，萬物之上下也；陰陽者，血氣之，男女也；左右者，陰陽之道路也；水火者，陰陽之徵兆也；陰陽者，萬物之能始也。」

一、陰陽失衡，水火不濟

自然界中的水火是一對矛盾，「水火者，陰陽之徵兆也」這句話告訴我們，陽主升，陰主降，這是陰陽的本性。人體是以臟腑為中心的有機整體，氣機的升降運動主要展現於臟腑的生理活動之中。以五臟而言，在上者以降為和，在下者以升為順，心為陽中之陽髒，五行中屬火，腎為陰中之陰髒，五行屬水，心火下降於腎以暖腎水，使腎水不寒，腎水上升以滋心火，使心火不亢，心腎之間這種協調關係稱為「心腎相交」、「水火既濟」。心腎之所以相交，李中梓解釋得好：「蓋水之所以能升，賴火氣之蒸騰，火之所以能降，亦有水濕之潤澤。」水火的升降可以說是人體陰陽升降平衡的根本。陰升陽降，陽升陰降都是生命現象的必然。如果只有陰升陽降，或只有陽升陰降，就會導致人體陰陽升降失調。輕則為病，甚則陰陽離決而死亡。如心火不能下降而亢盛於上，腎水不能上升而下泄稱為「心腎不交」或「水火不濟」，臨床上出現以失眠為主症的心悸、怔忡、心煩、腰膝酸軟、男子夢遺、女子夢交之病症。

「水火者，陰陽之徵兆也」還告訴我們，「陰陽」缺一不可，正如有外就有內，此必以彼的存在為前提，又如有入才能出，量入為出可謂陰陽平衡之要義。人體內的陰陽就是這種互相制約又相互合作的關係，一方過弱不能制約對方，則對方就會過亢。打個比方，洗澡水要合適的溫度，我們可以把它看作人體的健康狀態，如果涼水太少了，熱水的量相對多，熱水的量相對多，水溫就會高，我們就會覺得燙，這是因為涼水太少不足以抵消太多的熱量，同樣，陰虛時人體「陰」太少了，不足以制約陽氣，就會表現出陰虛火旺的病態：五心煩熱（雙手心、雙腳心、頭頂），面部潮熱，唇紅口乾等，俗稱虛火。

二、五臟之陰均有虛

從前面的介紹我們對陰虛的意義有了個大體瞭解。陰虛是人體的精、血、津、液虧損，臟腑功能虛性亢進，陰不制陽，從而出現虛性內熱的表現。陰虛每個髒都有，並且各有特點，飲食用藥應當「隨機應變」

腎陰虛特點：腎為五臟之本，所以腎陰虛較多見，而且症狀明顯。其主要表現為腰酸膝軟，頭暈耳鳴，五心煩熱（雙手心、雙足心、胸心）、咽乾顴紅、消瘦盜汗、男子夢遺、女子帶下，舌質偏紅、脈細數。平時保健可服六味地黃丸，用枸杞、生地泡水飲或黑木耳燉肉。

心陰虛特點：心慌心跳、失眠多夢、心煩口乾，舌紅苔少、脈細數。保健方法：用麥冬、百合、蓮子、桂圓肉、小棗、小米、茯苓泡水飲或煎湯，或熬粥做羹均可。

肺陰虛特點：盜汗、咳嗽、痰乾而稠、午後潮熱、咽乾顴紅、五心煩熱，舌質紅少苔、脈細數。保健方法：常吃百合、銀耳、杏仁、藕、沙參、麥冬，或服養陰清肺丸。如果不行，請到醫院做胸透等檢查。

脾陰虛特點：口乾唇裂、食少善饑、腹熱便乾，舌紅唇紅、苔少脈細數。保健方法：可常服玉竹、石斛、麥冬、山藥、薏苡仁、白扁豆等。

肝陰虛特點：頭暈目澀、脅肋灼熱、五心煩熱、眼花、筋脈不舒，舌紅口乾、苔少、脈弦細數。保健方法：可服杞菊地黃丸或用枸杞泡水，或生地十五克、白芍十克水煎服。

三、先天、後天都傷陰

元代朱丹溪經過臨床實際體會提出「陽常有余，陰常不足」。他所指的陰是精血，陽是指氣火，即由於精血虧損所產生的虛火。他認為精血是生命活動的物質基礎，不斷消耗，易損難複，故陰常不足。如不注意保養精血，嗜酒縱慾，傷戕過度，則陽氣易亢，虛火妄動，故陽常有餘。陰虛陽亢則百病叢生。

日常生活導致陰虛的原因有很多：邪熱傷陰，五志（喜、怒、悲、思、恐）太過，化火傷陰；久病體虛耗陰；或操勞過度，營養不良或過食辛熱傷陰而致。這些因素有先天遺傳因素，也有後天的不良習慣。過去這類證候以老年人多見，現在中青年的比例大幅增加。這是因為中青年人面臨的工作、家庭壓力較大，體力、精力透支明顯，很容易導致人體植物神經紊亂，若日常生活再不注意修身養性，則必然受到陰虛的「垂青」。

四、林黛玉是肺腎陰虛證

紅樓夢中的女主人翁有個咳嗽的老毛病，每年的春分、秋分必要犯病。從中醫辨證角度看，春天是陽氣受盛，而秋天是燥氣主令，燥邪易傷肺陰，陽盛可致陰傷。頗懂醫理的薛寶釵送去一大包上等燕窩，並說道：「燕窩最是滋陰補氣」。由此可推斷，黛玉屬於氣陰兩虛型的咳嗽。所以，黛玉每年在春分和立秋以前服用一些養陰益氣的藥物，就有可能減輕或避免發病。

再看黛玉後來的表現，輕咳掩面，痰帶血絲，有時咳吐鮮血染紅小手帕，身體消瘦，面頰桃紅，一幅病西施的樣子，病情已經是由肺及腎了。中醫認為腎為肺之子，正常時肺津輸佈以滋腎，腎精上承以養肺，肺腎陰液互相滋養，稱為「金水相生」。病理情況下，肺虛腎失資生之源，或腎虛相火灼金，上耗母氣，從而出現肺腎陰虛證。黛玉患病，肺腎已經虛弱，加上思慮過度，耗傷心脾，五內俱焚，以及精神上的絕望，加速了生命的終結。

五、藥食並舉，滋陰降火

從傳統的中醫理論、分形及分類，都得到了現代生理學的支持。中醫所指的陰虛火旺就是指由於神經系統的調控能力減弱而使神經系統異常的興奮性提高，同時由於這種異常的興奮性長期而又持續，導致神經系統產生了興奮後的疲勞，從而產生了內分泌系統及植物神經系統的紊亂，因此所產生的症狀就是手心、腳心發熱、盜汗、黏膜分泌障礙而情緒大幅度波動。

在臨床實踐中，中藥對這種治療效果往往不盡如人意。究其原因是中醫往往受到瀉火之說的影響，所採用的治療方法也往往使用黃連阿膠湯等大苦、大寒的中藥，因此在短期內雖然降低了神經系統的興奮性，使神經系統的異常興奮得到了控制。但這種患者的根本原因——神經系統的虛弱與調解能力失調，沒有得到根本的解決，因此在治療的結果上往往就出現了：有效，但無法根治這種結果。

說到底，對陰虛火旺型證所採用的根治的辦法，一方面要清火：清的是虛火，而不是清實熱，最重要的要解決虛火的來源——神經系統的興奮性異常提高和神經調解能力的失調——也就是虛火的來源陰虛。

滋陰降火有個基本方子叫知柏地黃丸，組成是知母、黃柏、熟地黃、山茱萸（制）、山藥、牡丹皮、茯苓、澤瀉。用於陰虛火旺，潮熱盜汗，口乾咽痛，耳鳴遺精，小便短赤。在這個方子的基礎上根據具體的病症選用中藥加減治療。

除此之外必須要通過食療滋補等方式來滋補大腦神經系統，譬如陰虛火旺的人在乾熱少雨的夏季症狀容易加重，可以用生地黃或天門冬或鮮百合煮些大米粥食用，以提高神經系統的各項功能及調節功能。神經系統的調節功能健康了，陰虛火旺的症狀自然也會消失。

同時自己也要注意調理，要調整自己的心態，保持情緒穩定，心平氣和，注意節制房事。

胖人多痰，瘦人多火

《靈樞·論勇篇》中說「夫忍痛與不忍痛者，皮膚之薄厚，肌肉之堅脆緩急之分也，非勇怯之謂也」，《內經》認為忍痛與不忍痛，不是精神作用所能決定的，而是與人體的組織結構、生理功能有關。

說到體質，我們有時會想到健康的體魄，虎背熊腰，力大無比。就算是這樣的人有時卻不能忍受一縷花香，聞香則喘，面腫皮膚瘙癢。這在醫學上被稱為過敏體質。具有「過敏體質」的人，每當逢年過節，常常只能望梅止渴。其實最根本的解決方法是改善過敏體質。所謂過敏體質，是指人體對自然界特異物質的不正常反應。比如過敏性哮喘，過敏性鼻炎等等。不僅現代醫學講體質，中醫也講體質，並且有關體質的內容更多。

一、同在藍天下，人有千差萬別

世界上沒有完全相同的兩片樹葉，世界上也不會有完全相同的兩個人，同在藍天下，人有千差萬別。人類之間的這種差異性我們醫學上稱之為體質。體質是個體生命過程中，在先天遺傳和後天獲得的基礎上表現出的形態結構、生理機能和心理狀態方面綜合的、相對穩定的特徵。這種特徵表現在生命過程中的某些形態特徵（高、矮、胖、瘦，等等）和生理功能（偏陰、偏陽）方面，以及對自然、社會環境的適應能力方面，對疾病的抵抗能力方面，以及在發病過程中對某些疾病的易感性和病理變化的傾向性等方面。

生活中常常有這樣的現象：同一地區、同一時期流行的感冒，雖然病因是相同的，但臨床表現卻有不同的類型。除一般感冒所共有的發熱、咳嗽、噴嚏、頭昏等症狀以外，有些患者怕冷較為明顯，且口不渴，尿色不黃，面色白；有些患者則口乾，便秘，尿色黃尿量少，而面色潮紅；有些患者則胃脘痞滿，頭重如裹，四肢倦怠，舌苔厚膩較為顯著。病因相同，人不同，發病的過程就不同，所反映的證候也不相同。

由此可見，在疾病過程中，人自身的因素是非常重要的。個體的差異常常決定了疾病發生類型，也決定著疾病的發展傾向。既如此，我們每個人都有必要瞭解自己的體質，這要從影響體質形成的因素談起。

二、高矮胖瘦強弱從何來

（一）父母遺傳是基礎

人在出生之時，已經初步具備了肥瘦、強弱、高矮、偏陰偏陽等不同的體質特徵。可以說，遺傳因素是決定體質形成和發展的根本原因。

每一個人體質的個體特點，就是以遺傳因素為基礎，在後天生長條件的影響下，經過自然、社會、境遇、飲食等諸多因素的影響和變遷，逐漸發展起來的。由遺傳背景所決定的體質差異是維持個體體質特徵相對穩定的重要條件。

（二）後天因素是關鍵

1、年齡不同，體質有別

俗話說：「一歲年紀，一歲人」。

很多時候，我們會發現，隨著年齡的增長及環境的改變，每個人在體質上多多少少都會有一些階段性的變化，甚至某部分的器官也會因為年齡的改變而無法像青少年時期般的健壯，發揮其功能的完整性。比方說，從前很少因吃東西這件事而過敏，但突然發現現在開始會因吃海鮮及芒果後身體會產生癢癢的感覺，喝酒起酒疹更是從來沒有發生過，氣候改變的過敏也是以前從未發生過的事情，這些種種狀況，都告訴我們體質是隨年齡改變的。

從出生之日算起，按日曆計算的年齡稱之為曆法年齡、時序年齡或實足年齡，簡稱年齡。增齡，即年齡的增長，概括了一個人生長發育和衰老的全過程，包含著成熟和衰老兩重意義。增齡是一個漸進過程，而且每個人的生物學年齡與曆法年齡也並不是刻板同步的，個體差異相當大，有的「未老先衰」，有的「老當益壯」，可相差十年左右。總的來說，人的生命歷程都是從少兒、青年到中年，再轉向老年。

隨著年齡的變化，男女體質的形成和演變，大致可劃分為五個階段：

（1）從出生到青春期，是體質漸趨成熟、定型的階段，體質基本定型於青春期之末。這一階段，由於氣血勃發，蒸蒸日上，易肝氣上逆，肝火旺盛。

（2）青春期到三十五歲左右，女性的體質常會發生較明顯的變化，且多半是轉向病理性體質，出現一些病態。相對而言，男性這一時期的變化不很顯著，處於人生的巔峰期，臟腑機能活動旺盛，體質強壯，智力健全，心理變化不大，心態平和，精神情緒穩定。需要注意的是，此時女性進入生育期，多出現氣血虛弱體質、陰虛體質。

（3）三十五歲至更年期以前的男女，均處於壯年階段，體質變化大多數較為平緩。

（4）五十歲上下的婦女和五十五～六十歲左右的男子進入了更年期，因天癸漸竭，精血衰減，體質也發生顯著變化。更年期機體日趨衰老，面容失華，發始斑白，力不從心，所願不遂，心理失衡，情志不暢，孤寂等，易致肝氣郁而不舒。故更年期女性以肝氣鬱體質、腎虛體質、陰虛體質多見。

（5）更年期以後的老年階段。老年期約在五十五歲以後，此期月經絕止，生育能力完全喪失，全身機能處於衰退期。此期月經絕，生殖器官萎縮，生育能力喪失。肌膚乾燥無光澤，毛髮稀疏，齒落發脫，全身機能衰退，虛性體質多見。因老年期是從更年期逐漸過渡而來，已經適應了這種生理性的衰老，心理、情志變化不大。

這裏應當強調兩個環節，一是青春期，二是更年期。以性成熟過程為特徵的青春期是人體內機能、代謝與結構急劇變化的時期，是人生中第一個轉折時期，體內各種生理活動進行著整體性的調整。更年期則是從成年期轉入老年期時，全身各系統的功能與結構漸進性衰退的過渡階段，是一生中第二個轉折時期。若能處理好這兩個時期，則可達到強身健體，延緩衰老的目的。

2、男女有別，體質各異

性別通常所指的是男性與女性。男為陽，女為陰。男性多稟陽剛之氣，體魄健壯魁梧，女性多具陰柔之質，體形小巧苗條。男子以氣（精）為本，女子以血為先，女性又有經帶胎產的特點。所以，中醫歷來有「男子以腎為先天，女子以肝為先天」之說。「男子多用氣，故氣常不足；女子多用血，故血常不足。所以男子病多在氣分，女子病多在血分」（《醫門法律》）。「男子之病，多由傷精；女子之病，多由傷血」（《婦科玉尺》）。可見，男女性別不同，其遺傳性征、身體形態、臟腑結構與生理功能、物質代謝乃至心理特徵等都有所不同，體質上也必然存在著性別差異。

3、飲食因素

《黃帝內經》中曾多次談到飲食偏嗜對機體的危害。其中，特別強調嗜食肥甘，恣飲縱慾對體質的負面影響，認為這是造成病理性體質的重要原因。《素問・上古天真論》明確指出，「以酒為漿，以妄為常，醉以入房」常致「半百而衰。」《素問・奇病論》說：「肥者令人內熱，甘者令人中滿。」《素問・生氣通天論》說：「高粱之變，足生大丁。」這些由飲食失節而導致的病變也從側面反映了不良飲食習慣對體質的影響。如嗜食肥甘厚味可助濕生痰，形成痰濕體質；嗜食辛辣則易化火灼津，形成陰虛火旺體質；過食鹹則勝血傷心，形成心氣虛弱體質；過食生冷寒涼會損傷脾胃，產生脾氣虛弱體質；飲食無度，久則損傷脾胃，可形成形盛氣虛體質；貪戀醇酒佳釀，濕熱在中，易傷肝脾。

試看當今社會，以酒為漿，嗜食肥甘已成為普遍的現象，由此帶來的體質變化和疑難病症也成為普遍的社會問題，在這種大環境下反觀《內經》之論，其對飲食結構與體質及發病的科學的預見性不得不令人折服。已經有學者提出：「隨著社會的進步和人們生活水準的提高，當代人類的體質也發生了相應的變化，並在此基礎上產生了肥胖症、糖尿病、冠心病、高血壓等，因此，今天我們進一步研究生活條件和飲食構成的變化對當代人類體質的影響，將對上述疾病的防治和人類保健起到重要作用。」

4、地理環境因素

古代著名科技文獻《考工記》中有這樣一個記載：在淮河以南有一種植物叫「橘」，甘甜清口，但把它移植到淮河以北後，則變成另一種植物叫「枳」。雖然枝、葉、果的外形都與橘一模一樣，但「其味迥然」。其原因就是「土氣使然」；「水土異也」。植物如此，人類也如此。俗話說：「一方水土養一方人」，就是這個意思。清代大醫學家徐徊溪在《醫學源流論》中曾說：「人稟天地之氣以生，故其氣體隨地不同。西北之人氣深而厚……東南之人，氣浮而薄。」這說明生活在不同地理環境條件下，由於受著不同水土性質、氣候類型、生活條件的影響，從而形成了不同地區人的體質。

早在《素問．異法方宜論》中就曾詳細地論述過東西南北中各地人的體質特徵。地理環境及其資源的均一性，在一定程度上，影響和控制著不同地域人類的發育，形成了人類體質明顯的地區性差異。環境科學表明：當自然環境中，地殼、空氣、水等的化學組成的變化，超過了人體的適應和調節能力時，就會影響人的體質，甚至會形成某些地方病和流行病。因此，中醫學在診斷和治療上強調「因地制宜」。

一般地說，惡劣的氣候環境培養了人的健壯的體魄和強悍的氣質，舒適的氣候環境則造就了人的嬌弱的體質和溫順的性格。

三、看看你是哪種體質

疾病總是發生在某種特定的體質背景之上，各種複雜因素造成的體質偏頗，稍微受到某些病因的侵襲，即變生為疾病，這些人的體質特徵和疾病性質常常無法分開。體質類型在很大程度上決定易感邪氣的性質。如易感受風而生病的人，體表陽氣常常虧虛；易感受寒而生病的人，全身相對陽氣素弱；發病容易化熱的人，常常是陽氣素盛，或者陰氣偏衰的人；易傷食者，脾胃必虧。以下是常見的體質類型，可參考應用。

平和體質：平和體質是理想狀態，常表現為身體強壯，胖瘦適度；面色明潤含蓄，目光有神；性格開朗、隨和；食量適中，二便通暢；舌紅潤，脈象緩勻有力；睡眠安和，精力充沛。這種體質的人，很少生病，即使患病，易於治癒，康復也快，有時節會不藥而愈。對環境適應力強患病較少。

平和體質的人在飲食中偏寒、偏溫的都可以吃，但都不要過多的吃，尤其寒涼的藥少吃，。俗話說脾胃：一怕生，二怕冷，三怕撐，就是這個道理。

氣虛體質：氣虛者常見面色白而無光澤，說話聲小、氣短、倦怠，動則尤甚。這是氣不夠用所致。一些氣虛者的身體較胖，這是由氣虛不能運化體內的津液，水濕豬留所致。另一些氣虛者身體消瘦，是因為氣虛不能把營養物質輸送到周身。氣虛不能固表，常出汗、記憶力差、健忘。氣虛不榮，故舌質淡，脈跳無力。既不耐寒，又不耐熱，易感冒，病後遷延不愈。若基本具有上述症狀，即說明是氣虛體質。

氣虛體質者的養生關鍵在於補氣。中醫認為：腎為元氣之根，脾為生氣之源，故補氣重在補脾益腎。如經常周身乏力、腰酸，是腎氣虛的表現，應常食山藥、栗子、海參。常氣短、大便稀、食慾不振者，是脾氣虛的表現，可用大棗、白果、蓮子、人參粉等藥食。

藥物選擇：偏脾氣虛者宜選四君子湯或參苓白術散；偏腎氣虛者可服用腎氣丸；屬肺氣虛者，可常服玉屏風散。

陽虛體質：這類人體型可胖可瘦，以肥胖而白者為多，機能低下，代謝明顯偏弱，產熱不足，四肢軀體不溫，怕冷畏寒，手腳皮膚溫度長年較正常人為低，喜歡夏日而不耐冬寒，行動和反應遲緩，甚至遲鈍，心跳偏慢，面色蒼白或偏灰，舌及口唇色紫黯，冷天尤其灰紫，大便多稀薄，不能受冷或飲食寒性食物，否則極易腹痛泄瀉。耐夏不耐冬，患病後易從寒化，病痰飲，腫脹，泄瀉，陽痿。這類體質常常是氣虛體質的進一步發展，而和下面的痰濕體質常常相互轉化。

改變陽虛體質，消除怕冷，最重要的是進行飲食調理和耐寒鍛鍊。吃飯的目的就是攝取熱量，所以應認真對待每一餐飯，尤其應重視早餐。適當多吃些動物瘦肉、魚、豆類、芹菜、香菇、大棗、黑木耳等。天冷時常吃些羊肉、狗肉等有溫腎壯陽作用的食品，對提高禦寒能力幫助也很大。

適當運動不但可以強壯製造熱量的肌肉，改善激素分泌，促進新陳代謝，還會幫助把熱量輸送到身體的各個部分。運動健身應根據每個人的年齡、體質和環境條件，選擇適合自己的運動項目。此外，每天早晨用冷水洗臉、洗鼻子、擦身，也可使機體抵禦寒冷的能力逐漸增強。耐寒鍛鍊，最好從夏天開始，要循序漸進，持之以恆。

陰虛體質：陰虛體質與陽虛體質正好相反，這類人多形體瘦削，機能虛性亢奮，或一陣亢奮後難以持久，隨即轉入低落狀態熱愛，手足心常發熱，手汗多，時有陣陣升火，烘熱而面色潮紅，心煩，易急躁，多焦慮，情緒不甯，易失眠，不耐熱邪，燥邪，喜歡過冬天不喜歡過夏天，自覺體內有火，喜吃涼的，但常常吃了也不管用。患病後，常表現為陰虧燥熱，此即為「瘦人火多」之理。

生活中要戒煙戒酒，蔥、薑、蒜、辣椒、花椒、胡椒、芥末等辛辣調味品都要少用。更要節制性慾，因性慾是造成陰虛最主要的原因，古人說過：「慾心一動，相火翕然而起，雖不交會，精已暗耗」。運動不可太過，更不可大汗淋漓，消耗津液。

痰濕體質：就是由「痰濕」長期停積於體內而形成的一種體質類型。在中醫學中有句話——「肥人多痰濕」，是指肥胖之人普遍存在痰濕體質的某些特徵。這類人多嗜食肥甘，嗜睡惡動，口中黏膩。食量較大，多汗，既畏熱，又怕冷，適應能力差。病則胸脘痞悶，咳喘痰多；或噁心嘔吐，大便溏泄；或四肢浮腫，接之凹陷，小便不利或渾濁；或身頭重困，關節疼痛重著，肌膚麻木不仁；或婦女白帶過多，苔多膩，或舌面罩一層黏液，脈濡或滑。常常易發生糖尿病、中風、冠心病等。

人體的廢物通過大便、小便、出汗等多途徑排泄。痰濕體質者應長期堅持體育鍛練，減少體內脂肪沉積，減輕心肺負擔，運動時微微出汗效果最好。游泳、快走均是肥胖型「痰濕體質」較理想的運動。同時，多參加體育運動，也可讓疏鬆的皮肉變緻密結實一些。飲食上，且勿過飽，忌肥甘厚味。

平時應保持心情舒暢，使體內的氣、血、津液運行暢通，有利於痰濕等廢物的排除。痰濕體質者不宜居住在陰冷潮濕的環境。平時要多動腦，如看報、聽廣播、與人交談等，避免痰濕積於腦血管中，導致供血不足所致的大腦功能衰退。

濕熱體質：濕熱體質的人多身體壯實或體胖，而且常常原來很瘦，如今變肥。伴肢體沉重、口苦口粘口臭、油垢滿面或生痤瘡、大便黏膩、小便短赤，舌質絳紅，舌苔黃膩，脈偏數。或者身體某些部位經常潮熱，如男子陰囊潮濕，女子帶下黃稠等等。濕熱體質的人對濕環境或氣溫偏高，尤其夏末秋初，濕熱交蒸氣候較難適應。性情急躁，食慾旺盛，尤喜肥厚酒漿及辛辣之物，或嗜煙無度。

多數濕熱體質的形成是由後天因素促成的，其中飲食模式是導致濕熱體質的重要成因，並且大大增加了高血脂、高血壓、心腦血管病、糖尿病、肥胖病、結腸癌等難治性疾病的發病率。所以，改善濕熱體質的關鍵在於調理飲食結構。飲食宜清淡，少肥甘，戒煙酒，《顧松園醫鏡・症方發明》中強調「煙為辛熱之魁，酒為濕熱之最，」嗜煙好酒，可以積熱釀痰。對於現代人的食物構成和飲食習慣中出現的不利於健康的諸多因素，美國專欄作家蘭・依薩卡曾感歎道：「文明人痛快地吞進了文明病」。

氣鬱體質：此類人形體消瘦或偏胖，面色萎黃或蒼暗。對精神刺激適應能力較差，平素性情急躁易怒，容易激動，或憂鬱寡歡，胸悶不舒，時欲太息，不喜歡陰雨天氣。生病後常常胸脅脹痛或竄痛；或乳房小腹脹痛，月經不調，痛經；或咽中梗阻，如有異物；或氣上沖逆，頭痛眩暈；或腹痛腸鳴，大便泄利不爽，舌淡紅苔白，脈弦。這類人相當於現代所稱的抑鬱型或抑鬱質。

藥物治療，以舒肝理氣為主；平時應常去旅遊，以使心胸愉快，從而排除多愁善感的抑鬱狀態；多聽一些輕鬆、開朗、激動的音樂，以提高情緒；飲食上，適當喝一點酒。

由此可見，中醫所說的體質遠較現代醫學的內容多，改善體質，不僅包括了身體的偏頗狀態也包括了心理的不平衡。

正氣存內 邪不可干

這句話就正好是教你怎樣才能做到不生病的，也說明了中醫的發病觀。那就是：只要你有一個很棒的身體，疾病就不會來找你。用現代科學語言來說，就是只要提高了機體自身的免疫力，病毒和細菌就不會侵入人體。

早在二千多年前的《內經》中就有：「正氣存內，邪不可干，避其毒氣」的說法，這對今天的養生保健來說，也是極有借鑒意義的。人們保健養生為了什麼呢？不就是為了少生病，求長壽麼？

這句話就正好是教你怎樣才能做到不生病的，也說明了中醫的發病觀。那就是：只要你有一個很棒的身體，疾病就不會來找你。用現代科學語言來說，就是只要提高了機體自身的免疫力，病毒和細菌就不會侵入人體。

一、我們為什麼會生病

（一）黃鼠狼專咬病雞

中國有句俗話，叫「黃鼠狼子專咬小病雞」，意思是說身體虛弱的小雞容易遭到黃鼠狼的攻擊。如果身體強壯就有了逃脫劫難的基本條件。身體強壯就是正氣，黃鼠狼就好比外來的邪氣。

對人體而言，正氣泛指構成人體的基本結構（臟腑、經絡等）和精微物質（精、氣、血、津液等）的正常功能活動，及機體的各種維護健康的能力，包括自我調和，適應環境，抗病祛邪和康復自愈等能力，簡稱「正」，也稱「內環境」。正氣是隨著人體的生長發育，及人體在不斷適應自然的過程中逐漸完善起來的，具有抵禦、消除各種有害因素，使人體免受病邪傷害，而一旦受到損害則能促使其康復的能力。

中醫發病學，很重視人體正氣，強調人體正氣在發病過程中的主導作用，認為正氣旺盛，臟腑功能正常，氣血充盈，衛外固密，病邪難以侵入，疾病無從發生，或雖有邪氣侵犯，正氣亦能抗邪外出而免於發病，即「正氣存內，邪不可干」。只有在人體正氣不足，衛外不固，抗病力減弱的情況下，邪氣方能乘虛而入，破壞臟腑氣血的生理功能，導致機體「陰平陽秘」的狀態紊亂而發生疾病，即「邪之所湊，其氣必虛」。可見，正氣不足，是導致疾病發生的內在根據，是矛盾的主要方面；當然人體正氣的抗邪能力也是有一定限度的，若邪氣過盛，或邪氣的致病性較強，超過人體正氣的抗邪能力，也可發病。

（二）邪氣淩然：發病的重要條件

邪氣，泛指各種致病因素，包括六淫、疫癘邪氣、七情內傷、勞逸損傷及各種病理產物（如痰飲、水濕、淤血、結石、宿食）等，簡稱「邪」，也稱「外環境」。這些因素都具有損傷人體的正氣，破壞臟腑組織器官的功能活動及形態結構的特性。因此，疾病的發生，是在一定條件下邪正鬥爭的反映。

中醫學強調正氣在疾病發生過程中的主導地位，並不排除邪氣對疾病發生的重要作用。任何邪氣都具有不同程度的致病性，在正氣相對不足的前提下，邪氣的入侵則是疾病發生的重要條件，如氣候異常，就是外感病發生的外在因素。因此，在一般情況下，邪氣只是發病的條件，並非是決定發病的決定性因素。而有些病邪還可成為發病的決定因素，如化學毒氣、機械損傷等等。人體正氣的抗病能力是有限度的，若邪氣太盛，正氣雖不虛弱，亦可因其不能勝邪而發病。

總之，疾病的發生關係到正、邪兩方面，正氣不足是發病的內在根據，邪氣盛是發病的重要條件。體質、精神狀態等內環境因素，決定著正氣的強弱，而氣候、地域、生活工作環境的異常，常常是導致邪氣盛的外部因素。從人體自身和人類生存的周圍環境兩方面來探討發病機理，是中醫發病學的特點，這對人類治療疾病、預防疾病有著重要的意義。

那麼，提高機體的正氣，是防止疾病發生的根本條件。因此，研究影響正氣的各種因素就是預防的前提了，這樣才能知己知彼，百戰不殆。

二、誰干擾了我們的正氣

世界上沒有無緣無故的愛，也沒有無緣無故的恨，凡事必有因。患病也是這樣，要麼在內、要麼在外，總有原因。這個原因就是病因。

病因是指破壞人體相對平衡狀態，引起人體發生疾病的原因，又稱為致病因素。

中醫學理論中有一個著名的「三因」學說，認為引發疾病的原因不外乎「內因、外因、和不內外因」三個，這個說法對中醫病因學影響最大，沿用至今。外因致病就是，自然界的天氣變化（風、寒、暑、濕、燥、火）而致人生病，稱之為六淫。內因致病就是情緒變化，飲食不節，勞逸失度而致人生病。不內外因，就是說不是上邊二種原因而致病的。如外傷骨折、蛇蟲咬傷等屬不內外因。

「六淫」，大多數包含著各種微生物對人體造成的影響。其中微生物的種類繁多，有很多尚為我們不認識，而且變異太多，對待它們引起的疾病，中醫學創造了一種獨特而有效的方法，這就是「辨證求因」的方法。將外邪致病的本質確定為體內動態平衡被破壞，並通過對各種因數作用於人體後出現的症狀的研究，來推斷體內平衡破壞的環節和程度，從而在無須知道微生物的種類和形態的情況下，能找到治療這類疾病的有效方法和手段。

可見，如果拋開「人」，僅以客觀環境作依據是無法辨識病因的，只有掌握了人與其生存環境的廣泛聯繫，才能正確理解和把握中醫病因學的某些概念的精神實質。這就是中醫病因學的特點，始終強調以人為本。

（一）六氣過度成六淫

1、四季輪迴有六氣

四季輪迴，寒暑更替，是人類賴以生存的必要條件。春生、夏長、秋收、冬藏是生物適應四季氣象變化形成的普遍規律。四季氣象各有特點，春風、夏暑、長夏濕、秋燥、冬寒等是自然氣象的基本類型，它們因四時而更替變化，是萬物生長變化的重要條件，一般情況下不致病，稱為「六氣」。

2、六氣過度成六淫

人類在長期的生存實踐中，逐漸獲得了適應這些氣候變化的能力。只有在氣候異常變化，超過了人的適應能力，或個體的正氣不足，自我調節能力下降，不能適應氣候變化時，六氣才能成為病因。此時，「六氣」被稱為「六淫」，亦稱「六邪」。可見，六淫概念的確立，充分考慮了個體正氣的適應調節能力，反映了中醫學「辨證求因」的病因學特點。

我們分別來看看，這「六淫」引起的疾病到底有什麼特點。

3、六淫致病有特點

風邪

中醫認為「風」四季皆有，但以春天為主，故為春之主氣。

自然界的無形之風，善動而多變；其質輕揚，來去無蹤；時而輕微柔和，時而狂風大作，氣候驟變。在自然界，風是造成氣候變化的先導。在人體，風邪則是外感發病中的最重要因素，所以古人又說「風為百病之長」。中醫學將能引起「風」性特徵的病變反應的外在病邪，稱為風邪。風邪致病特點有以下幾個特點，或者說疾病表現為下面幾個特點，中醫就認為是感受了風邪：

（1）風邪常常容易侵襲人體的上部、肌表、腰背等屬於陽的部位。上擾頭面，可見頭項強痛、口眼歪斜等；風襲肺系，則鼻塞流涕、咽癢咳嗽等；風客肌表，可見惡風、發熱等。因其性開泄，常使腠理開泄，而出現汗出、惡風等。

（2）發病迅速，變幻不定。風無定體，變幻遊移。故其致病具有病位遊移、行無定處的特點。如風疹、蕁麻疹發無定處，此起彼伏；有一種四肢關節疼痛呈現遊走性等，均屬風邪善行的表現。

（3）風性主動。空氣流通而為風。風吹草動，故風邪致病常表現為動搖不定的特點。外風致病我們可以感受到，有種情況我們感覺不到，但卻有風的特點：如眩暈站不穩、震顫拿不準、抽搐、角弓反張等，我們稱為內風。治療外風要驅除，治療內風要熄風止痙。

寒邪

寒，為冬季主氣，或指因溫度低造成的致病條件，其他季節也可以見到。

寒冷時，空氣清冷，萬物潛藏，水分難於蒸發，物品不易腐敗。可見，寒的特點是清冷、收縮、冰凍、凝結。中醫學將能引起類似「寒」性特徵的病變反應的外在病邪，稱為寒邪。寒邪引起的疾病，常常會出現下面的特點：

（1）疼痛。寒邪傷人常使人體氣血津液運行遲滯，甚至凝結不通，不通則痛，從而出現各種疼痛的病症。寒襲肌表則一身盡痛；寒邪直中於裏則胸、脘、腹冷痛或絞痛；寒客經絡關節則關節疼痛劇烈，遇寒痛甚等症，稱為「寒痹」或「痛痹」。

（2）身體收斂。人體在寒冷的環境中會自動地蜷縮身體，減少熱量的散發，從而減少寒冷對身體的傷害。而關節拘攣，屈伸不利或麻木不仁；寒襲肌表，汗孔閉塞則身體不出汗而發燒等正是寒邪致病的特點。俗話叫打寒戰，文言說是「瑟瑟惡寒」。

暑邪

暑，為夏天主氣，指夏至之後，立秋之前的氣候特點，獨見於夏令。有明顯的季節性。此時，自然氣候酷熱，萬物茂盛。但就「暑」字而言，「日頭當空照，烤熟地上人」。故暑的特點是炎熱、暑濕交蒸，悶熱難當。

中醫學將夏令季節，能引起類似「暑」性特徵的病變反應的外在病邪，稱為暑邪。中醫文獻中有「陰暑」與「陽暑」的說法。我們平時所說的「中暑」，是指「陽暑」，是因為暑熱致病出現了如高熱、大汗、煩渴、肌膚灼熱、脈洪大等，甚至昏迷不省人事。身體丟失了大量的水分後還會出現口渴喜飲、尿赤短少、氣短乏力等。

治療陽暑，最簡單的方法就是吃西瓜。在炎熱的夏季，暑氣逼人，吃上兩塊汁多瓤甜的西瓜，會頓感暑消神清，無比涼爽。正如元代詩人方夔在《食西瓜》中所說：「縷縷花衫沾唾碧，痕痕血丹掐膚紅，香浮笑語牙生水，涼入衣襟骨有風。」明代汪穎在《食物本草》中說：「西瓜性寒解熱，有天生白虎湯之號」。「白虎湯」由石膏、知母、甘草、粳米四味藥組成，是醫聖張仲景創制的治療氣分熱盛的千古名方，把西瓜比作天生白虎湯，就是形容西瓜清熱解暑的效果神奇。

上面講的是「陽暑」。中暑也要分陰陽，那麼什麼是「陰暑」呢？暑季天氣炎熱，所以人多貪涼喜冷，比如夜宿於露天、多食冷飲、出汗後洗冷水澡或者出汗後馬上吹空調，這都會導致寒邪侵犯人體，出現頭痛，身疼，胸悶噁心，嚴重時嘔吐腹瀉，這就是「陰暑」。這裏有個常識一定要知道，大家都知道「藿香正氣膠囊」或者「藿香正氣水」是個很好的藥物，它治療的就是「陰暑」，適用於夏天的胃腸型感冒。就拿中藥「香薷」來說吧，香薷辛溫，暑熱用溫藥不是犯忌嗎？這就涉及陰暑了，香薷發汗解暑，溫胃調中，治療的是陰暑，通過發散的辦法驅除暑邪，故稱為「治暑之要藥」。

濕邪

濕，為長夏主氣。長夏相當於雨季，是指從立秋到秋分的階段，是中醫學的範疇，又被俗稱為秋老虎。在中原一帶相當於夏秋之交。此時雨水較多，濕熱薰蒸，氣候潮濕，為一年之中濕氣最盛之時。其他季節，若長時淫雨連綿，也可出現潮濕的氣候。此外，地勢低窪，河流湖泊分佈較多的區域，也可以形成局部的濕盛環境。濕的特點是，重濁下行，氤氳纏綿。

濕邪引起的疾病常常有下面的特徵：

（1）沉重重著，黏膩不爽。我們在浴室或在大霧的環境裏，常常會感覺胸悶不舒，呼吸不暢，就是濕邪為患的結果。中醫有「頭重如裹」、「身重如帶五千錢」的說法，就是指的濕邪侵犯頭部和腰部，出現頭重難以轉動、腰重難以轉動的症狀，治療都需要祛濕。濕困於脾胃則不思飲食，脘痞腹脹，口黏口甜，舌苔厚而黏膩。

濕邪浸淫肌膚，則可見瘡瘍、濕疹、浸淫流水的皮膚病，這個風邪所致的風疹是完全不一樣的，關鍵在於有流水、化膿的現象。濕邪為患，又易出現排泄物和分泌物穢濁不清的現象，如濕濁在上，則面垢眵多，就是面部看上去不清爽，就像是沒有洗臉的樣子；濕滯大腸，則大便黏滯，難以清潔、沖刷，嚴重的還會下痢膿血黏液；濕濁下注，則小便渾濁，婦女白帶過多。

（2）濕性趨下，易襲下部。濕類於水，故濕邪有趨下之勢，濕邪致病具有易傷人體下部的特點，病多起於下部，如下肢水腫，婦女帶下、陰部潮濕、小便渾濁、泄瀉、痢疾、下肢潰瘍等。

而且，濕邪致病往往都纏綿難愈，容易復發。尤其是濕與熱混雜在一起，中醫叫濕熱蘊結，那正是「如油入面」，治療非常困難。

燥邪

燥，為秋季主氣。秋季，隨氣候變化又有初秋與深秋之別。燥與濕相反，故燥以空氣中缺乏水分，濕度降低為特點，表現為勁急乾燥的氣候。如初秋之際，久晴無雨，秋陽以曝，天氣燥熱；深秋時節，則往往出現一派乾燥、枯萎、開裂的現象，西北之地，乾燥性更為明顯。中醫學中將能引起類似「燥」性特徵的病變反應的外在病邪，稱為燥邪。燥邪為病，溫燥和涼燥之分。初秋時節，尚有夏熱之餘氣，氣候較熱，其為病多燥與熱相合，而為溫燥之邪；深秋季節，已有冬之寒氣，氣候較涼，其為病多燥與寒結合，而為涼燥之邪。不論「涼燥」還是「溫燥」，燥邪的主要特徵就是乾燥，容易損傷人體津液，所以燥邪侵犯人體所表現出來的症狀也是以「乾燥」為特徵，如口鼻乾燥，咽喉乾燥，皮膚乾澀，大便乾結不通，舌苔乾而不潤，乾咳無痰或痰中帶血，等等。

火邪

中醫認為邪火大部分還是由內而生的，外界原因可以是一種誘因。總的說來還是身體的陰陽失調引起的。外感火熱最典型的表現是什麼？最常見的就是中暑，通常都是在溫度過高、缺水、悶熱的環境下待的時間過長，然後體溫也會升高。這就是一種典型的外感火熱症。

一般來說內生的火熱情況比外感火熱多。比如現在人壓力變大、經常熬夜、吃辛辣食物等，內生火的因素比以前要大得多。常見出汗、口渴、咽乾舌燥、小便短赤、大便秘結，或者長瘡癰疔癤等等。也就是我們常說的「上火」。那麼，「上火」和「消炎」是一回事麼？「上火」了都的吃「黃連解毒丸」麼？這些問題我們在後面的章節專門來給大家介紹。

（二）憂愁哀思傷五臟

生活是一望無際的大海，人便是大海上的一葉小舟。大海沒有風平浪靜的時候，所以，人也總是有歡樂也有憂愁。這種情緒變化中醫叫做「七情」，它是「人之常性」，是健康個體日常生活中始終存在著的正常過程，本身並不會致病。

人生活於複雜的社會大環境之中，社會環境的變化與人的精神情感變化密切相關。如果這種反應過於強烈，「激情爆發」，如大喜、大悲，或者消極的情感活動持續過久，如久久悲傷，苦苦思念等等，都有可能對我們的健康造成影響。由於情緒上的變化，氣死的人也不在少數，《三國演義》中的周瑜就是被諸葛亮活活氣死的。大喜大悲，在搓麻將的時候，拿到一付好牌，一看有三隻財神，哈哈一笑，就滑躺到桌子底下去了，連送醫院也來不及了。為什麼一對老年夫婦，老頭因病去世，老太也會在很短的時間裏跟著去世？這是悲傷，加重了心臟的負荷的緣故。這樣的例子實在是太多了，

所以說一個人心態是相當要緊的，如果沒有一顆健康的心，所謂的情緒管理，如果沒有到某一個程度的成熟，你也不可能有很健康的身體，因為你的情緒完全隨著外面給你的刺激來不斷高高低低地去反映，這樣的話，你的整個心態都會疲憊不堪，那自然晚上也睡不著，那如果我們不斷地學習，把很多的事情用更高超的態度去改變的，能改變自己儘量改變，不能改變的自己儘量能接受，並且說做一個很好的人際的互動，去把這些壓力消除。

中醫不僅認識到情緒的不良刺激是干擾正氣導致疾病的重要原因，而且在長期的醫療實踐中歸納總結出了一整套七情內傷的致病特點，細緻的闡述了情緒變化對內臟的影響。這個特點大致可以歸納為兩個方面。

1、直接損傷五臟

中醫很注重七情，喜怒憂思悲恐驚，這個七情的干擾，它可以使人的內臟失調。現在的人呢，有好多的就是心態不平衡，你比如有的退休下來了，有的認為自己還行，能力也可以，體力也可以，為什麼我就退下來了呢，因為到一定年齡了，你該退休了，該休養了，可是他不服氣，不服老，這個好像從他自己本身來說，很自然的現象，但是呢，由於心態不平衡，往往造成好多好多的不利於健康的因素，這就是情志，所以說這個情志一定要調節，所謂調節貴在平衡，得自我解脫。《紅樓夢》裏的林黛玉那不就是太過於悲傷了嗎，整日裏「尋尋覓覓，冷冷清清，凄凄慘慘戚戚」。以至得了肺癆，肺結核了，後來咳血而逝，引來後人多少歎惋啊！

那麼悲傷為什麼會傷肺呢？原來中醫把人的情緒變化都和五臟相對應，不良的情緒變化首先會影響相對應的髒。反過來，當五臟功能出現異常的時候，又能表現出相應的情緒變化。

中醫認為，情動於中，可直接損傷相應之髒。如心在志為喜為驚，過喜或過驚則傷心；肝在志為怒，過怒則傷肝；脾在志為思，過度思慮則傷脾；肺在志為悲為憂，過悲則傷肺；腎在志為恐，過恐則傷腎。另一方面，五臟精氣功能失調，則可產生情志的異常。如肝氣虛則恐，實則怒，心氣虛則悲，實則笑不休等。

2、擾亂五臟功能

怒則氣上：怒是一種勃發的衝動情緒。按照五志和臟腑的對應關係，怒傷肝，可以導致肝氣上逆。氣逆於上，可出現胸中滿悶，頭痛頭暈，眼睛脹痛，嚴重的出現血隨氣升而昏迷、吐血、咳血等等臨床症狀。

怒傷肝者，可以悲勝之。以悲勝之，是根據《黃帝內經》「悲則氣消」和「悲勝喜」的作用，促使病人發生悲哀，達到康復身心目的的一類療法，對於消散內鬱的結氣和抑制興奮的情緒有較好作用，最適於病人自覺以痛苦為快的病症。《儒門事親》中載：張子和治婦人病，問病人曰：「心欲常痛哭為快否？」婦曰：「欲如此，餘亦不知所謂。」張又曰：「少陽相火，淩的肺金，金受屈制，無所投告，肺主悲，但欲痛哭為快也。」於是，張子和鼓勵病人儘量痛哭，其病得以康復。此病例為木火傷肺金，肝肺氣鬱，故以哭出為快。

中醫和傳統文化是息息相關的。其實，中醫就在我們身邊，下面我們都用成語典故或者生活實例的方式來解釋情緒變化對身體健康的影響。

喜則氣緩：是說喜能緩和緊張情緒，愉悅歡喜則氣和志達。心氣平和才能健康，但並不是說快樂就健康，樂過了頭就是「喜傷心」，這就是暴喜導致心氣渙散。輕者出現精神不集中，心神不寧，重則嬉笑不休，精神失常。最有名的故事就是範進中舉了。

這個故事是《儒林外史》中極為精彩的篇章之一。主人公范進是個士人，他一直生活在窮困之中，又一直不停地應試，考了二十多次，到五十四歲才中了個秀才。範進聽到中舉消息後喜極而瘋，就是因為歡喜太過，心氣渙散，神志異常。而其後，當範進平日裏最害怕的岳丈胡屠戶兇神惡煞地對他說：「該死的畜生！你中了什麼？」，接著打了他一巴掌，嚇他一跳，範進的瘋病就緩和過來了。

這裏其實就用了「恐勝喜」的情志克制方法。因為五行定位，心屬於火，腎屬於水，水可以克火，而喜屬於心，恐屬於腎，所以恐可以勝喜，其他的可以依此類推，如怒勝思、思勝恐等等。這屬於中醫情志相勝法，可以為治療精神疾患提供思路和借鑒。

恐則氣下：意思是當你害怕的時候，身體的氣機就會向下行走。譬如，有人因為吸了涼氣突然不停打嗝，中醫認為這是氣機上逆造成的，這時如果有人突然嚇他一下，打嗝就停止了。這就是應用了恐則氣下的原理，使上逆的氣機下行，打嗝也就好了。更典型的例子就是因為害怕而大小便失禁。中醫認為這是傷了腎，腎是管著二便的。腎氣不固。就如人們說的「嚇得屁滾尿流」，這句話雖然有些不雅，卻是最好的注解。

比如，我們好多人都曾經有過考前綜合症，症狀的輕重視考試大小、難易、距離考試時間的遠近、自己掌握的知識水準而有所不同。每每考試周來臨，再好的學生也會嚴陣以待，校園裏時時出現因精神幾近崩潰而行為怪異的人。常常在文章裏看到有人描述緊張時會說「緊張得要吐」，然而事實是，我們看到的大部分人沒有吐出來，卻在一次次腹瀉。當考前我們頻繁進出廁所時，總會互相自嘲著說，清腸排毒。

恐傷腎者，以思勝之。以思勝之，主要是通過「思則氣結」，以收斂渙散的神氣，使病人主動地排解某些不良情緒，以達到康復之目的。《晉書・樂廣傳》記載：「嘗有親客，久闊不復來，廣（樂廣）問其故。答曰：前在坐，蒙賜酒，方欲酒，見杯中有蛇，意甚惡之，既飲而疾。余時河南聽事壁上有角弓、漆畫作蛇，廣意杯中蛇即角影也。複置酒於前處，謂客曰：酒中複有所見不？答曰：所見如初。廣乃告其所以，客豁然意解，沉屙頓愈。」「杯弓蛇影」這一成語所講的歷史事實，說明由恐懼引起的疾病，可以用「深思」的方法來解除其恐懼緊張的心理狀態，從而使疾病消除，恢復健康。

思則氣結：是指思慮勞神過度，傷神損脾導致氣機鬱結，古人認為「思發」於脾，而成於心，故思慮過度不但耗傷心神，也會影響脾氣。《素問・舉痛論》說：「思則心有所存，神有所歸，正氣留而不行，故氣結矣」。思慮過度，常陰血暗耗，導致心神失養，出現心慌、健忘、失眠、多夢；脾胃消化功能也會出現問題，如不想吃飯、常常覺得肚子脹、有的時候大便還會稀溏等等。「廢寢忘食」，是說無論是工作還是學習，我們都應該勤奮、努力，把所有的精力都投入進去，達到一種忘我的狀態。這種精神實在可嘉，卻也不可太過。這個很符合現在人的特點，思慮多，運動少，也就是腦力勞動多，體力勞動少。

同樣，思傷脾者，可以怒勝之。利用發怒時肝氣升發的作用，來解除體內氣機之鬱滯的一種療法，它適用於長期思慮不解、氣結成疾或情緒異常低沉的病症

《續名醫婁案》載：「一富家婦人，傷思慮過甚，二年餘不寐。張子和看後曰：兩手脈俱緩，此脾受之也，脾主思故也。乃與其丈夫怒而激之也，多取其財，飲酒數日，不處一法而去，其人大怒，汗出，是夜困眠，如此者，八九日不寤，自是而食進，脈得其平。」此例說明了思之甚可以使人的行為和活動調節發生障礙，致正氣不行而氣結，或陰陽不調，陽亢不與陰交而不寐，當怒而激之之時，逆上之氣衝開了結聚之氣，興奮之陽因汗而泄，致陰陽平調而愈。

（二）饑飽不均，飲食不節

飲食是人類賴以生存、維持健康的第一需要，並不致病。健康的飲食習慣當以定時、定量、廣譜、衛生為原則。違反這一原則，飲食不當，亦可成病因，謂之飲食失宜。此類疾病起於內，故又有「飲食內傷」之說。

脾胃是受納、消化和吸收飲食物的主要臟器，故飲食失宜主要損傷脾胃。中醫學認識到脾胃的重要作用，稱其為「後天之本」，脾胃內傷，又可累及其他臟腑引發疾病。因此，飲食失宜是重要的內傷性致病因素之一。飲食失宜包括飲食不節、飲食不潔、飲食偏嗜等（飲酒傷肝更傷脾已述及，不贅述）。其主要的致病特點包括損傷脾胃，五臟失調，病後復發或者遷延難愈。中醫學在長期的醫療實踐中積累了豐富的飲食調理之法，隨著生活水準的提高，食物療法（簡稱「食物」）有著廣闊的應用前景。

（三）勞逸失度

適當的休息和必要的勞動是維持生命與健康的必要條件。勞逸超過機體適應的限度可影響健康，引發疾病。

1、過勞

勞動本來是人類的「第一需要」，但勞傷過度則可內傷臟腑，成為致病原因。《莊子・刻意》說：「形勞而不休則弊，精用而不已則勞，勞則竭」。勞役過度，精竭形弊是導致內傷虛損的重要原因。如《素問・宣明五氣》說：「五勞所傷，久視傷血，久臥傷氣，久坐傷肉，久立傷骨，久行傷筋」，過度勞倦與內傷密切相關。《脾胃論》中提出，勞役過度可致脾胃內傷百病由生。《醫宗必讀》說：「後天之本在脾」。因而脾胃傷則氣血虧少，諸疾蜂起。葉天士醫案也記載，過度勞形奔走，馳騎習武，可致百脈震動，勞傷失血，或血絡瘀痹，諸疾叢集。人到老年，氣血漸衰，尤當注意勞逸適度，慎防勞傷。

過勞常常是指勞神過度，也就是腦力勞動過度，積勞成疾更多的是心理壓力太大而致。種種表現如前面的論述所談。最多見的是多思善慮，日久傷及心脾，多見心悸健忘、失眠多夢、厭食腹脹等。

過勞也包括房勞過度。房勞過度包括早婚、性生活不節制。這都可傷腎消耗腎中精氣，而致腰膝酸軟，耳鳴眩暈，及男子遺精，女子月經不調等。中醫認為，女子在「二七」十四歲的時候月經來潮，男子「二八」十六歲的時候精氣溢瀉，有了遺精的現象，雖然都具備了生殖功能，但並不成熟。女子到二十八歲，男子到三十二歲的時候身體最強盛，生殖機能最成熟，在此之前的性生活都容易引起腎中精氣耗損。此外，中醫學向來認為，性生活要有節制，也要隨著季節而做出相應的調整。一般而言，「春夏養陽」，房事可以多一些。「秋冬養陰」，就要節制房事了。

2、過逸

老百姓有句話：「無事生非」，「酒足飯飽，唯獨缺腦」，這只是借用來表達某種情緒。從人生態度講「求生使人進步，安逸使人落後」，從健康角度看過勞傷人，過度安逸同樣可以「生非」致病。

《呂氏春秋．本生》說：「出則以車，入則以輦，務以自佚，命曰佁蹶之機……富貴之所以致也」。佚者，逸也，過於安逸是富貴人得病之由。清代醫家陸九芝說：「自逸病之不講，而世只知有勞病，不知有逸病，然而逸之為病，正不少也。逸乃逸豫、安逸之所生病，與勞相反」。《內經》中所提到的「久臥傷氣」，「久坐傷肉」，即指過度安逸而言。張介賓說：「久臥則陽氣不伸，故傷氣；久坐則血脈滯於四體，故傷肉」。

古人說：「流水不腐，戶樞不蠹」。美國科學家佛蘭克林也說過：「懶惰像生銹一樣，比操勞更能消耗身體。經常用的鑰匙總是亮閃閃的。」就是說貪圖安逸危害健康；勤奮乃保健良方。長期安閒，不事勞作可使臟腑氣血失調，而誘發疾病。主要表現為脾胃功能的呆滯不振，見到厭食、脘悶、腹脹、肌肉鬆軟、形體肥胖等。日久可以影響氣血津液的代謝，形成氣滯血瘀、水濕痰飲等病變。此外，長期無所事事，寂寞無聊，精神空虛，也易引起七情失調，所以說「無聊為百病之源」，「無聊是一種疾病，最好的處方是勞動」。

七情內傷、飲食失宜、勞逸失度屬於中醫病因學中內傷性病因的範疇。縱觀其致病特點，可見展現出中國傳統文化的重要特點：即強調「中和」、「有度」。七情、飲食、勞逸等，皆是生存所必需的，但均需適度，既不可不及，又不可太多。這一思想用以指導養生，無疑是有積極意義的。

綜合以上所述，疾病的發生，同患者的體質強弱和致病因素的性質密切相關。其機理較為複雜，但歸結到一點，就是機體的正常生理功能在某種程度上遭到破壞，即「陰陽失調」，這時人體就由生理狀態轉變為病理狀態，於是就發生疾病。造成陰陽失調的原因包括兩個方面：一是人體本身的正常功能紊亂；二是六淫、七情等致病因素對人體的作用和影響。中國醫學把人體本身的抗病能力稱為「正氣」（簡稱「正」），而人體正氣的盛衰，又決定於體質因素（先天稟賦的強弱），精神狀態，居住環境，生活習慣，飲食、營養、勞動及鍛鍊等；把外界的一切致病因素稱為「邪氣」（簡稱「邪」）。內因是變化的根據，外因是變化的條件。正氣的不足或下降，是人體發病的根本原因，他對疾病起著主導作用。但是，強調正氣盛衰在發病中的地位，並不排除邪氣對疾病發生的影響。在一定的條件下，有時邪氣也起著主要作用，如疫癘，外傷致病等就是如此。

是藥三分毒

患病後不用服藥，有時候也能趕得上中等的醫生水準，因為是藥三分毒。因此，中醫說「藥補不如食補」，突出食療的重要作用。另外，五禽戲、八段錦既強身健體又治病。中醫調養正如吳鞠通所言「無功可言，無德可見，而登壽域。」

「不服藥，得中醫」，是古人提示用藥不當、易傷人正氣的名言。藥能治病，但用藥不慎，也能加重病情。治好病是上醫，治病反加重病情就是下等醫生。那麼患病後不用服藥，雖不能愈病，但也不至於加重病情，這也算是中等的醫生水準了。病因藥誤，自古有之，因為是藥三分毒。因此，中醫說「藥補不如食補」，突出了食療的重要作用。另外，五禽戲、八段錦既強身健體又治病。雖不像接骨續筋立竿見影，但強身祛病、延年益壽確實是在在。中醫養生保健誠如吳鞠通所言「無功可言，無德可見，而登壽域。」

中醫特別重視調動患者的自愈能力，常常將非藥物療法放在首位，並強調「消未起之患，治未病之疾」。可見，中國傳統醫藥養生學的真實面目已經清楚，它是一種綜合健身、醫療、養生為一體的學說，它的特點是健身養生為主，防病治病為輔；預防為主，治療為輔；自我療養為主，請醫用藥為輔；心理療法為主，手術治病為輔；非藥物治療為主，藥物治療為輔。

一、關於「病」與「不病」的對話

在中醫經典著作《黃帝內經》裏有這樣一段話，黃帝問曰：「余聞古之治病，惟其移精變氣，可祝由而已。今世治病，毒藥治其內，針石治其外，或愈或不愈，何也？」

岐伯對曰：「往古人居禽獸之間，動作以避寒，陰居以避暑，內無眷暮之累，外無伸官之形，此恬淡之世，邪不能深入也。故毒藥不能治其內，針石不能治其外，故可移精祝由而已。當今之世不然，憂患緣其內，苦形傷其外，又失四時之從，逆寒暑之宜。賊風數至，虛邪朝夕，內至五臟骨髓，外傷空竅肌膚，所以小病必甚，大病必死。故祝由不能已也。」

這段黃帝和大臣岐伯的對話是說：我聽說古代的人治病，只需要通過移精變氣，做一些禱告就好了，而現在的人要吃那麼多的藥，紮那麼多的針，結果還是有的治好了，有的治不好，這是怎麼回事呢？

岐伯是這樣回答的：古人是跟野獸雜居的，天冷了活動活動就可以避寒，天熱了就到一個比較涼快的屋子裏面去待著。在家裏不會時時念著這個丟不下，那個想得到。在外面也沒想過要當官，所以生活得很恬淡，邪氣根本就不能夠侵入體內，當然也就用不著吃藥扎針了。

但當今之世就不是這樣了，人們腦子裏有各種各樣的想法，因此就有各種各樣的憂患。身心都很勞累，而且還不順從季節的變化，夏天貪涼，冬天就貪熱。這樣早晚都是虛邪的氣，並逐漸侵蝕到了五臟骨髓，外面也傷了五官和肌膚。那即使是小病也會非常厲害，光靠禱告又怎麼能治呢？

知道了這段話，「有病不治，常得中醫」的意思就不難理解了，其實這句話的本意就是指如果能夠調順身心的話，就可以不服藥，這就叫「移精變氣」。

二、靠補藥養生是誤區

《黃帝內經》說：「人之情，莫不惡死而樂生。」延年益壽是所有人的願望，而如今在人們的觀念裏存在一個很大的誤區，就是認為養生就要吃補藥。蒲輔周老中醫說：希冀吃藥來健康長壽，無異於癡人說夢。治病用藥無非是借藥性之偏，來糾正疾病的陰陽之偏。從古至今，從未見有吃藥而長壽的。

受中國傳統文化的影響，國人素有「尚補」之俗。

補法運用的擴大化本身就否認了中醫的基本特色，否認了辨證論治。誤補的主要原因在於對中醫中藥理論的片面認識。「藥為病而設，非養生之物也。」（《潛齋醫學叢書・言醫》）「至於藥酒，蘊濕助熱，尤當永戒。」（《臨證指南醫案・濕》）但由於人們強身健體的迫切要求和中醫理論知識相對匱乏之間的矛盾，使多數人難於對補益品的作用和副作用認識清楚，加之保健品市場畸形膨脹，廠商片面誇大進補的好處，從而形成了「全民進補」的不良風氣，目前已有學者對此提出異議，認為這是中醫學的庸俗化，應當予以糾正。所以，僅僅依據某些藥理研究顯示補藥具有增加免疫、抗衰老、抗氧化等作用而不加辨證地妄補、蠻補之風，違背了中醫四時五臟陰陽之理，殊不知補益太過足以資邪留寇。

三、順應自然才是養生之道

清代詩人龔自珍寫過一篇《病梅館記》，寫出了人們賞梅時的心理：「梅以曲為美，直則無姿；以欹為美，正則無景；梅以疏為美，密則無態。」他對這種現象作出批評，認為修剪成曲、疏、欹的梅花只是對美的破壞。順其自然才是美之極致。唐代大詩人李白一生縱情名山大川，閱盡人間美景。曾經有人問及，何謂世間極致美景？詩仙只是微微一笑，曰：「清水出芙蓉，天然去雕飾。」寥寥十字，卻入木三分地道盡了世間美之極致。

中醫的精髓又何嘗不是和諧之美呢？中醫養生學的精髓也在於人與天地的和諧，就是要順其自然。《黃帝內經》裏講：智者之養生也，必順四時而適寒暑，和喜怒而安居處，節陰陽而調剛柔。如是則僻邪不至，長生久視。董仲舒在《春秋繁露》中也說：循天之道以養其身，謂之道。好了，那就讓我們來看看中醫的養生觀又是如何順應天道的？

四季輪迴，寒暑更替，是人類賴以生存的必要條件。春生、夏長、秋收、冬藏是生物適應四季氣象變化形成的普遍規律。《黃帝內經》說「人以天地之氣生，四時之法成」人類在長期的進化過程中，獲得了適應自然變化的能力。表現為「人與天地相應」。所以，人的各種生理功能，有著與天地自然變化幾近同步的節律性和適應外界變化，並作出自我調整的能力。天人相應，人體在四季也有著這種生、長、收、藏的規律。所以，人也要讓自己的飲食起居和思想情緒有著四季的痕跡。

比如孔子就說：「不時，不食」。就是說，不符合四季的食物，就不吃。反季節食物要少吃，強調吃節氣菜。孔子的這句名言，是四季養生的經典名言，奠定了四時養生的基礎。其次，孔子提出「食無求飽」。就是宣導要飲食有度，食養有節，以免損傷脾胃或形成肥胖症。再次，孔子提出「食不厭精，膾不厭細」。就是告誡飲食要粗中有細，既要全面吃，也要保證品質。以下具體談談如何順四時而養生！

（一）春天如何養生

春天的三個月，氣候轉暖，陽氣升發，萬物發萌。這個時候，人要和自然萬物一樣，要保養「生生之氣」。當陽光暖暖的照在身上，所有的細胞便會紛紛活躍起來，蠢蠢欲動。滿眼所見，儘是新鮮的，新鮮的人，新鮮的事，所以春天的心情也該是暢達的，透著莫名的快樂的。

心情暢達，胸懷豁達，這便是順應了春季陽氣升發特點的情感調攝之法。

經過了寒冬的蟄伏，春風初降，春日融合，萬物開始萌發，逐漸欣欣向榮，正是疏活筋骨的好季節。春季養生主張早起，穿著寬鬆舒適的衣物，不佩戴任何飾物，如手鐲、項鏈、耳環、腰帶等，以免影響身體的氣血循行。出門到空氣新鮮的庭院、草地、樹林裏漫步，放鬆心情，放慢腳步，深深緩緩地呼吸，細心體會大自然的寂靜，品味環境的美麗，感受自己身體內生理的韻律、蓬勃的生機！

春季風氣當令，氣候變化多端，乍暖乍寒。此時，不可驟脫棉衣，老年人肌膚空疏，表衛不固，最易傷風受寒，尤其要注意，所著衣服，亦隨寒暖增減，俗話說「春捂秋凍」，這是符合春季養生原則的。這也是《黃帝內經》中「春夏養陽，秋冬養陰」這一養生原則的具體展現。

中醫認為，春主東方屬木主風，在人體和肝的關係最為密切。從立春至春分，人體的經氣分別運行於肝膽脾胃，故素有肝病、胃痛的人，在此季節也最容易發病。特別是經過寒冷的冬季，衣著厚重，吃香喝辣，再加上春節時期的大魚大肉，活動量又少，體內很容易有積滯，鬱熱內伏。每到春季，伴隨著肝氣的升發最容易向外鼓動勃發，因而出現頭昏體熱、橫隔拉緊、喉中痰涎增多，咳嗽、四肢困倦、腰腳無力等「春困」現象，這是去年冬天及春節累積下來的症候群。因此，春天的時候少食辛辣，多用青菜、蘿蔔、水果等清涼滋潤的食物，可以抵消體內的不平衡。堅持清淡可口，並用菊花、陳皮、牛蒡子、甘草、少許鹽泡水代茶飲，可清肝明目，消除食積。

（二）夏天如何養生

夏天的三個月，是萬物茂盛秀美的季節，天陽下降，地火上升，天地氣交，萬物開花結果。對於人來說，此時是新陳代謝旺盛的時期，人體陽氣外發，伏陰在內，氣血運行亦相應地旺盛起來，並且活躍於機體表面。驕陽似火，烈日炎炎，人們應該早些睡覺，早些起床，不要厭惡夏天的日長天熱。保持著愉快而穩定的情緒，切忌大悲大喜，以免以熱助熱，火上加油。俗話說「心靜人自涼」，要使精神像含苞待放的花一樣，呈現出對外界事物的濃厚興趣，這是適應夏季的養生之道。

所以，在萬物繁榮的夏季，應有廣泛的興趣愛好，利用業餘時間多參與一些有意義的文娛活動，如果條件許可，還可以參加夏令營活動，外出旅遊，消夏避暑等，這樣既使人心曠神怡，又可以鍛鍊身體。在夏令暑蒸氣耗的季節，若能自我調整出這樣的心境，自然可以涼從心生，健康長壽了。

中醫認為，夏主南方屬心主火。從立夏到立秋，人體的經氣主要運行於心。素有冠心病、高血壓、動脈硬化等慢性病的病人，尤其是老年人，在此季節最容易發病。尤其是長期待在冷氣環境裏，或者貪涼飲冷更易損傷陽氣。綺石在《理虛元鑒》中說：「夏防暑熱，又防因暑取涼。」這是告誡人們在炎熱的夏天，人們一定要注意保護體內的陽氣。因為在夏天的時候，機體的氣血浮於身體的表面，體表溫度高，而體內空虛，陽氣不足。所以《黃帝內經》說：「春夏養陽」，就是在夏天的時候，要注意保養身體內部的陽氣。如果不這樣的話，常常會出現不同程度的胃腸病，像腹痛腹瀉、噁心嘔吐等等；嚴重的時候還會誘發心血管疾病。那麼，夏天如何「養陽」呢？

最重要的是，不能只顧眼前舒服，避熱趨涼，乘冷過夜，或飲冷無度。在乘涼時，要特別注意蓋好腹部，不少農村地方喜穿「兜肚」，是很符合養生之道的。《養老壽親書》裏指出：「夏日天暑地熱，若簷下過道，穿隙破窗，皆不可乘涼，以防賊風中人。」《攝生消息論》也說：「不得於星月下露臥，兼使睡著，使人扇風取涼。」這些都是寶貴的養生經驗，符合夏季

「養陽」的精神。俗語說「冬吃蘿蔔夏吃薑，不找郎中開藥方」，就是這個道理。著名醫家孫思邈暑熱季節用生麥飲，為什麼？因為你的陽氣都跑到外面去了，內裏的陽氣不足，所以用人參補氣；汗出得太多了，他用五味子收斂，斂心氣；天氣太熱，汗出了以後裏面的津液損傷，所以用麥冬養陰。所以，夏天來到的時候，老人可以吃一點生麥飲。

（三）秋天如何養生

秋天的三個月，是萬物成熟的時候，天高氣爽，地氣清肅，秋意漸濃。此時的秋風秋雨，除了給人們帶來些許寒意，還容易引發一些人的憂傷情緒，即人們所說的「悲秋」。中醫講肺在志為悲，認為悲傷和肺的關係是非常密切的。因此，保持樂觀情緒，切莫「秋雨晴時淚不晴」地自尋煩惱。秋天，「不是春光，勝似春光」的大好季節，因此，我們大可不必自尋煩惱，不必失意傷感地「悲秋」。人們應該早睡早起，象雄雞那樣感知清晨的到來，使神志安詳寧靜，緩和秋季肅殺之氣對人體的影響。

初秋之際，久晴無雨，秋陽以曝，天氣燥熱；深秋時節，則往往出現一派乾燥、枯萎、開裂的現象，西北之地，乾燥性更為明顯。而不論溫涼，總以皮膚乾燥，體液缺乏為特徵。所以

《黃帝內經》說：「秋冬養陰」，就是說在秋冬時節，天地陽氣收斂，萬物凋零，人也應該注意保護體內的液體，以防乾燥化熱。因此，老年人在此季節中，應該少洗澡為宜，以避免皮膚乾燥而發生瘙癢症。

中醫認為，秋主西方屬肺主金，在人體和肺的關係最為密切。從立秋到立冬，人體的經氣主要運行於肺。因此，素有肺系疾患的人在此季節容易發病。肺是主閉藏的，主宣發與肅降。秋天的時候要讓氣血能跟著季節往身體內部走，要用一點秋梨膏。秋梨，梨得金（肺）氣最重，開的花是白的，結果是在秋天。用一點秋梨膏就不會在秋天到來的時候由於肺氣不降而生病，出現乾咳無痰、口舌乾燥等症狀。銀耳、百合、蓮子等也是常用的潤肺氣，降肺火的食品，尤其對於老年氣管炎、肺結核、習慣性便秘等患者大有裨益。

（四）冬天如何養生

冬天的三個月，朔風凜冽，陽氣潛藏，陰氣盛極，草木凋零，自然界的蟄蟲伏藏，用冬眠的狀態來養精蓄銳，以便為來春生機勃發做好準備。人體的陰陽消長代謝也處於相對緩慢的水準，因此，冬季養生要著眼於「藏」。這個季節，人應當睡得早，起得晚，太陽出來的時候再行體育鍛鍊。冬天的心情也要保持安靜恬然，努力控制自己的精神活動，最好能做到含而不露，既像把個人的隱私秘而不宣，又如得到渴望之珍品那樣滿足。中醫學認為「精神內守，病安從來」，「躁則消亡，靜則神藏」。所以，不僅冬季要做到精神安靜，神藏於內，春、夏、秋三季也是一樣，只是程度不同，冬季尤為重要而已。

冬天，天地都是閉藏的，人的氣血也都到身體裏面了，身上毛孔應該是閉合的。所以，除了要注意保暖固護寒冷的邪氣從外侵襲我們的身體外，鍛鍊也不宜出汗，一般感到全身發熱或微感有汗為宜，汗血是同源的。該閉藏的時候沒有很好地閉藏，該打開的時候不讓它打開，是非常容易得病的。

冬令時節，人體陽氣收藏，氣血趨向於裏，脾胃功能每多健旺，此時令進補易於吸收藏納，既能調節恢復身體，增強抗病能力，又能補虛療疾，延年益壽。所以，食補在冬天調養中尤為重要。但是，人的體質有偏頗，所以，食補也應當辨體質才能事半功倍，偏於陰虛的老人，宜進寒性和涼性補品，偏於陽虛的老人，宜進溫性食物和熱性補品。如同為人參，產於美國和韓國的西洋參性偏寒涼，而產於中國東北的野山參則性偏溫熱。當然，無論寒涼還是溫熱的補品都不宜太過，「多多益善」的念頭要不得。冬天是進補的好時節，不過補過了頭就會造成身體「不堪重負」的，尤其是增加了腸胃的負擔。常言道「冬吃蘿蔔」，目的就是要給身體開一扇窗，讓我們的身體透透氣，減輕腸胃的負擔，才能更好地進補。

中醫認為，冬主北方屬腎主水，在人體和腎的關係最為密切。故爾，中醫學還特別強調冬季要節制性生活，固護陰精。如果恣情縱慾，勢必導致體內的精氣過多地外泄，機體抗病能力低下，容易引發各種疾病，而且會失去明春的良好開端。如《內經》所言：「冬不藏精，春必病溫」，包含了嚴冬節制房事的道理。從這個意義上說，冬季性生活的調諧，是四季調諧的關鍵，切不要等閒視之。

瀉火與消炎

「上火」是中醫學專用名詞。如果出現咽喉乾痛、兩眼紅赤、鼻腔熱烘、口乾舌痛以及爛嘴角、流鼻血、牙痛等症狀，中醫就認為是「上火」。

一、火氣是什麼

人們有種「火氣」的說法，認為凡是吃點熱性食物（如燒烤、油炸、葡萄酒、芒果、荔枝、龍眼等等）後出現口腔潰瘍、咽喉腫痛、臉上痤瘡等，都是火氣的表現。因此人人都認為自己陽氣太多了，要清熱。這種說法好象已經有數百年至上千年的歷史了。看龜苓膏的歷史，也就知道這種說法歷史悠久了。

目前電視、廣告等媒體大肆宣傳寒涼藥物，從排毒養顏膠囊到各種清火中成藥，仿佛當前天下全是一派火氣，一定要清火。上火、火氣，出幾乎成了現代人最愛說的口頭禪。而且，一提起上火幾乎所有人都是第一個想到吃抗生素消炎。每次有病人問我們上火、火氣、口舌生瘡是怎麼回事，我們就從炎症上來解釋。「炎」字本身就是雙火組成，照此一說很好理解。實際上中醫的火有特殊含義。

中醫把頭昏、咽喉腫痛等偏上部位的火熱症狀叫「上焦火」，把煩熱口渴、胃脘痛等中間部位的叫「中焦火」，把便秘、尿赤等偏下部位的叫「下焦火」。又按臟腑開竅，把目赤腫痛稱「肝火」，鼻扇氣喘稱「肺火」，口舌生瘡稱「心火」等等。結合內在情況，這些火還可統分「虛實」兩大類，症狀重，來勢猛的屬實火；症狀輕，時間長並伴手足心熱、潮熱盜汗等的屬虛火。這種分類為有關治療提供了依據。

二、上火有多種「滅火」要對症

生活周圍常常可以聽到這樣的說法，某某「上火」了，牙疼、長了口腔潰瘍了。比如張大娘經常便秘，而且有時牙痛、口臭，醫生說她心胃火盛，開了牛黃清心丸清心化痰瀉火。張大娘吃了幾天，效果還真不錯。過了沒多久，張大娘又有了新問題，耳鳴、眼紅、口苦。鄰居們都說她上火，張大娘一聽到「火」字，二話沒說就回家吃了一丸牛黃解毒丸。連續吃了幾天也沒見效，反倒覺得胃不舒服了。

引發「上火」的具體因素很多。情緒波動過大、中暑、受涼、傷風、嗜煙酒以及過食蔥、薑、蒜、辣椒等辛辣之品，貪食羊肉、狗肉等肥膩之品和中毒、缺少睡眠等都會「上火」。

所以說上火有多種，「滅火」要對症。明代大醫學家張景嶽說：「有形之火不可縱，無形之火不可殘」，他以有形無形為據將火分為虛火實火。認為實火有形，屬邪氣實，治宜清降，不可放縱其勢以為害；虛火無形，屬正氣虛，治宜補養，不可摧殘其本出傷正，可謂深得治火之要領。

具有清熱瀉火功效的中藥性味多苦寒，用其治療實熱火證效果頗佳，若用其治療因虛而致的虛火，不但達不到治療目的，反因為苦寒敗胃，輕者出現胃脘不舒，不思飲食，嚴重的時候會胃痛、腹瀉。如口腔潰瘍常常是因為脾胃有熱，所以用清熱瀉火的藥物效果很好，但是潰瘍反覆發作，經久不愈，常常是因為脾胃虛寒。這個時候常表現為上面有火——潰瘍，下面有寒——腹瀉，治療就不能清熱瀉火了，而是必須用熱藥來養脾，脾胃功能恢復正常了，上面的虛火就可以不治而愈。如汪昂說：「治口瘡用涼藥不效者，乃中氣不足，虛火上炎，宜用反佐之法，參、術、甘草補土之虛，乾薑散火之標，甚加附子，或噙官桂，以引火歸元。」寥寥數語，而理法方藥井然一貫，從中可以得到反治經驗。這裏的黃柏屬苦寒瀉火藥物，中氣指的就是脾胃。

因此，提醒大家，治療「上火」要注意兩點：一是選用中藥，而不盲目投用西藥。因前者是調理全身以治本，後者卻只能針對症狀治其標。二是遵照中醫理論辨證施治。如治「中焦火」宜投清胃散等，治「心火」用導赤散等，治「實火」用三黃片、牛黃解毒片等藥泄火，最好在醫生指導下進行。若見「火」就用三黃片之類，有時並不奏效，反而誤事為什麼？

三、陰火最特殊——火在上，寒在下

有種火很特殊，如果清瀉可以暫時有效，但反覆發作，我們叫它陰火。這種火表現出來也是熱象。比如現在常見的咽喉腫痛病人，多是從這個火來理解的。這樣的火，就不要清火了，也不要降火。因為清火只會讓火更旺。今天清好了，明天又發出來了。而且，越治越頑固，好像永遠清不完的火。

（一）貪涼飲冷生陰火

南方的很多人都在努力地清火，涼茶非常普及即是明證。事實是，人人都在清火，但人人都永遠在上火。這就很難讓人理解了。既然是實火，一用苦寒，當清乾淨了。為什麼這個火清不乾淨呢？它到底是個什麼火呢？其實，它根本不是實火，是虛火。那是不是相火呢？那要讓這個火歸位。歸哪裡？肝，或者三焦吧。那你歸歸它試試，好像無位可歸。其實，它也不是相火。這個火是因為陽虛，陽不制浮陽，浮陽上升，發為虛火，也叫陰火。這個火的唯一治法，就是補充陽氣。陽氣足了，火自然降了下來。因此，這樣的虛火，是用潛陽丹、四逆之類來扶陽治療的。

所以說，下焦丹田裏的陽火旺盛則不易起陰火，即使吃點上火的東西也不會上火。看當前門診醫生，聽患者說吃點上火的東西，就長口瘡，長痘痘，便斷為火熱，即建議病人大吃特吃涼茶、清火諸藥。不知病本屬陽虛，以此法治火，越治越旺，直至大病生成。這也正是我們治療口腔、咽喉、頭面炎症、潰瘍常發不止的原因所在。

人們在夏天多喜歡喝涼茶，對此，我們認為涼茶極大地傷了人體的陽氣，對身體健康影響很大。試想，人身全憑一點兒陽氣為生。一分陽氣，即一分生機。人們一覺得熱了，就使勁地喝涼茶，這就會直接損傷中陽，這是中焦脾胃之陽。中陽是什麼？是我們的後天之本呀。父母給了我們腎精，那是決定了我們的一生長短的東西，即我們的壽命，我們不能控制它。但後天之本是我們自己的，我們來控制它。如果我們肆意地糟蹋中陽，則百病叢生之日不遠了。

（二）炎熱季節也要護火

也許有人會說，南方本屬火熱之地，補陽會助火。其實，治病有地域之分，更有人之體質之別，天地人三才之中，人在中，治人者必參天地而用。但的確需要更重視人之本質，若其人是一派寒涼，用上過百克之附子不為過，若其人一派炎熱，用半克附子亦為誤。南方地域熱，溫熱病人多，但時下空調冷飲滿天下，加之時人娛樂無度，陽虛病人亦不少。

(三) 知犯何逆，隨證治之

在臨床上使用溫陽類藥物，如附子、乾薑、肉桂等？其實正是結合了因涼傷陽的特點。臨床上的大量病例的治癒也證明了這種作法是有實際效果的，而且很神奇。比如，一位慢性咽喉炎二十年的病人，用溫陽的方法，吃了幾付藥，咽喉不適的症狀就消失了，這就是藥適應了其陽虛證的特點。醫聖張仲景有句話：「知犯何逆，隨證治之。」知道了病人的病證所犯在哪兒，為什麼不隨證用藥呢？

病有陰陽，證有陰陽。用陽藥是因為陰證，反之，用陰藥是因為陽症。所謂隨證治之，就是這個意思。為什麼現在用附子多，其實是因為陰證多。有些人不願意承認目前陰證多見的事實，因為近代溫病學的觀點就認為陽證多而陰證少。這樣的觀點統治了數百年，直到現在還非常的盛行。我們認為，隨著五運六氣的變化，天地的氣機在不停地變化。因此在不同的時期，出現了不同的病症，醫生當然就隨機而改變思路。我們重視陽氣，並非什麼病都要溫陽，只是強調千萬不要忽視陽氣的狀態而已。否則就會鬧出青黴素消炎退熱性質寒涼的笑話。

（四）補陽消炎名揚海外

據報導，一名中醫大夫在奧地利為一位十三歲的漂亮女孩兒診病。該女孩以前經常有口腔內腮腺的炎症，苦惱不已。聽西醫的話，就切除了腮腺。兩周後即出現耳鳴、腰膝痛。就診時已經大半年。該中醫沒有給予苦寒瀉火之品，而是分析病情後以溫陽藥收效。他感慨西醫之切除器官之笨法，害人不少。認為這樣的事情，國內也非常多見。而早服補陽藥也不至於誤事至此。也許有人會說，扁桃腺並不重要，切除了就不生炎症了。大家都知道扁桃腺是空氣進入我們的肺時，站在門口的兩個衛兵，以防空氣中不適合身體的病毒進入肺以造成身體的傷害，現代醫學不思解決扁桃腺為什麼會發炎？為什麼會腫大？卻將肺門口的兩個衛兵（扁桃腺）動手術摘除豈不愚蠢。其實病的本質根本就是在下焦，在腎中的陽氣不足。表現為扁桃腺炎症，你不去補充腎陽，反而切除扁桃腺。

（五）陽氣虛於下、虛火炎於上

大家可以觀察一下自己的唇色。正常的唇色是紅而鮮潤的。可是生活中倒是見到不少唇色暗黑，或環唇暗黑的病人，中醫認為多屬心陽虛，陽虛血瘀所致。要溫陽理氣活血為治療大法，效果不錯。再者，有環唇蒼白者，不在少數。西醫大概是沒有病吧，中醫多認為是腎陽不足之征。按面部全息觀，環唇屬下焦。下焦陽氣不足，則此區蒼白。其治也多從少陰扶陽諸法，臨證多有顯效。以上這兩種唇象，並不執著於唇病。靠著中醫整體觀，從陽氣論治即可治癒。

也許有人會說，中醫還有黃連瀉火，生地滋陰降火，黃柏引火下行、大黃清火，這都是火，為什麼只談一個陽氣呢？這裏想突出一點，那就是炎症與實火不能劃等號。

其實，什麼是陰火？就是火在上，寒在下。因此，這樣的上火，就是陽氣不足於下，而虛火上炎於頭面，出現頭面耳眼目口鼻喉的各種火熱症狀，如痤瘡、咽喉腫痛、扁桃體炎、面紅、眼紅、耳中生瘡、牙齦炎，口腔內生潰瘍以及頭暈、頭痛等。明白了這個道理，扶陽即可治療此類病症，根本不需要用苦寒的消炎藥，其結果是閉門留寇，反生大病。實際上有沒有真正的上火呢？當然有，真正的上火小便灼熱，口渴飲冷，稍微用點苦寒藥就好了，何需治療數月數年。

綜上所述，炎症既有實火，也有虛火；既有陰虛內熱，又有陽虛之火。生活中應當分清虛實陰陽，切不可混淆。

治病之矛——中藥

從遠古時代的神農嘗百草開始，便有了中醫中藥。經過歷代醫家的艱辛求索與實踐，如今它已茁壯成長為醫苑中的一株奇葩，以其獨特的理論體系、用藥方式和卓著的療效，在現代醫學領域中大放異彩，倍受世人矚目。

中藥，顧名思義「中國獨特之藥」。由於中藥以草本植物為主，所以古時候叫「本草」，中藥方面的著述也叫本草，如我們比較熟悉的《本草綱目》、《唐本草》等。自從西方醫學傳入中國，在我國基本形成了中、西藥並存的局面，為了有別於化學藥品、抗生素、生物製品等，故稱為「中藥」。

一、神農嘗百草，日遇七十毒——本草之源

遠古時期，百姓以採食野生瓜果，生吃動物蚌蛤為生，腥臊惡臭傷腹胃，經常有人受毒害得病死亡，壽命很短。炎帝神農氏為「宣藥療疾」，救夭傷人命，使百姓益壽延年，他跋山涉水，行遍三湘大地，嚐遍百草，瞭解百草之平毒寒溫之藥性。為民找尋治病解毒良藥，他幾乎嚼嚐過所有植物，「一日遇七十毒」。神農在嚐百草的過程中，識別了百草，發現了具有攻毒祛病、養生保健作用的中藥。由此令民有所「就」，不復為「疾病」，故先民封他為「藥神」。據說一百四十歲那年，他上天臺山採藥，誤嚐小狼毒（俗稱斷腸草）而為民捐軀。

（一）藥典巨著，恩澤萬代

經過長期嘗百草發明了藥草療疾，炎帝神農悟出了草木味苦的涼，辣的熱，甜的補，酸的開胃。他教民食用不同的草藥治不同的病，先民因病死亡的也少多了。為「宣藥療疾」還刻了「味嚐草木作方書」。這便是人類醫學科學的發端！神農親驗本草藥性，是中藥的重要起源。

這一過程經歷了漫長的歷史時期、無數次的反覆實踐，積累下來許多藥物知識，被記載下來。隨著歲月的推移，積累的藥物知識越來越豐富，並不斷得到後人的驗證，逐步以書籍的形式固定下來，這就是《神農本草經》。《神農本草經》成為中國最早的中草藥學的經典之作，後世本草著作莫不以此為宗，對中醫藥的發展一直產生著積極的影響，並逐步發展豐富，形成了如今世界聞名的中醫藥寶庫。

（二）曠世經典，仍為今用

《神農本草經》闡述了藥物的三品分類及其性能意義，藥物的君臣佐使及在方劑配伍中的地位和作用，藥物的陰陽配合、七情合和、四氣（寒熱溫涼）五味（辛甘酸苦鹹）、有毒無毒，藥物的採造，藥物的煎煮法，藥物與病證的關係等等，至今仍是臨床用藥的法規準則。它所記載的三百六十五味中藥，每味都按藥名、異名、性味、主治病證、生長環境等分別闡述，大多數為臨床常用藥物，樸實有驗，至今仍在慣用。千百年來，它作為藥典性著作，指導著海內外炎黃子孫應用藥物治療疾病，保健強身。

二、「長生不死」催生煉丹術

中國煉丹術之淵源，可追溯到戰國時代。在中國的奴隸社會轉入封建社會的時期，生產普遍獲得了發展，其中釀造、制陶、採礦、冶金等工業都迅速發展起來。由於生產的發展，統治階級不僅希望提高物質享受，而且希望長生不死。在這樣的時代背景下，煉丹術就應運而生了。以後隨著道教的產生，煉丹術獲得了迅速的發展。煉丹術從其產生伊始，便貫穿著服食成仙、長生不死的神仙思想，它催化著神仙方士和道士們去努力尋找各種煉丹方法。

秦始皇統一六國之後，曾派人到海上求不死之藥。漢武帝本人就熱衷於神仙和長生不死之藥。這時煉丹術興起來了，不僅是尋找自然界的長生不死之藥，而且要煉製長生不死之藥。到了東漢煉丹術得到進一步發展，出現了著名的煉丹術家魏伯陽，著書《周易參同契》以闡明長生不死之說。他說「巨勝（胡麻）尚延年，還丹可入口。金性不敗朽，故為萬物寶。術士取食之，壽命保長久。」繼後，晉代煉丹述家陶弘景著書《真誥》。到了唐代，煉丹術跟道教結合起來而進入全盛時期，這時煉丹術家孫思邈，著作《丹房訣要》。這些煉丹術著作都有不少化學知識，據統計共有化學藥物六十多種，還有許多關於化學變化的記載。

如魏伯陽的著作中載有「河上姹女，靈而最神。得火則飛，不見埃塵。……將欲制之，黃芽為根。」實際上說的就是硫與汞化合生成硫化汞的反應。姹女就是汞，黃芽就是硫。他研究鉛和胡粉（堿式碳酸鉛）之間的相互變化：「胡粉投火中，色壞還為鉛」意指胡粉原來是鉛制的，經火燒之後，胡粉不但色變而且變成原來的鉛了。他研究汞跟其他金屬形成汞齊時說：「太陽流珠，常欲去人，卒得金華，轉而相親，化為白液，凝而至堅。」太陽流珠指汞，金華指鉛，汞和鉛互相化合可得鉛汞齊。而陶弘景對汞齊的作用所作的研究指出：「水銀……能消化金、銀，使成泥，人以鍍物是也。」

煉丹術家雖然發現了不少化學知識，也提出了一些對化學有影響的煉丹理論；但由於他們的思想方法不甚科學，不是根據物質現象的分析研究，去發現物質變化的規律，而是把某些物質的性質或現象，加以主觀推論作為煉長生不死之藥的依據。雖然用煉丹術家的基本理論有一些合理部分，但主要方面是不科學的，因而也註定了煉丹術的必然衰亡。

三、「藥食同源」孕育食療

在悠久的中國傳統文化中，「藥食同源」理論源遠流長。在我們的日常生活中，許多食物同時也是藥物，同藥物一樣能夠預防、治療疾病。例如我們日常食用的南瓜中所含的成分可促進人體胰島素的分泌，有治療糖尿病的功效；香蕉具有滋陰潤腸的功效，對便秘患者有很好的療效；生薑具有辛散發汗、解表散寒的功效，對風寒感冒患者有很好的療效，等等。

隨著近年來人們生活水準的日益提高，人們不僅對怎樣吃感興趣，而且對吃什麼更健康，甚至可預防和治療疾病尤為關注。這充分說明了人們對飲食保健的深刻認識和對健康的美好追求。人們不僅在飲食中得到保健、醫療的效果，並且在醫療中品味美食佳餚，得到輕鬆、愉快的享受。中醫歷來強調「藥療不如食療」，以食物為藥物具有以下幾大突出的優點：

（1）食療不會產生任何毒副作用，而藥物治病則不然，長期使用往往會產生各種副作用和依賴性，而且還可能對人體的某些健康造成影響；

（2）這些食物都是我們日常生活中的平凡之物，價格低廉，有的甚至不花分文，讓我們在日常用餐中便可達到治病的目的，這又是昂貴的醫藥費所無法比擬的；

（3）食物為藥還具有無痛苦的優點，讓人們在享受美食的過程中祛除病痛，避免了打針、吃藥，甚至手術之苦。有此幾大藥物無法可比的優點，我們又怎能不以食物為藥、以食療治病呢？當然，我們說食療是最好的偏方，是說食療確實對防病治病有很好的功效，有不同於藥物治療的優點，但不等於食療能包治百病，也不能因此代替藥物治療。如果病情急重，或者應用食療後疾病不減輕，您應該請醫生指導。

四、寒熱溫涼，有的放矢

中藥有四氣與五味，四氣即寒、熱、溫、涼四性。簡言之，即寒與熱二性；五味即酸、苦、甘、辛、鹹，淡附於甘，總稱為五味。每一種藥物，各具有一種氣味，這種氣味從中醫看來，比其有效成分更為重要。中藥的藥用功能完全在氣味，用化學分析僅能分析其局部的、有形的化學成分，而對於整體的、無形的氣味便無能為力。臨床用藥必須明確藥物之氣（性），這點為歷代醫家所首肯。

古人認為藥物的「氣」稟受於天，「氣」的產生與天氣有關。因所受有差異，故有四氣的不同。而寒、熱、溫、涼，就是藥性模擬四時氣候而言的，所以稱「氣」。性，指藥性。狹義的「性」即指藥物的四氣而言，廣義的「性」則是泛指藥物的氣、味、毒性、功用、治療、製劑所宜等。

寒、熱、溫、涼四氣是從藥物作用於機體所發生的反應而概括出來的，與所治疾病的寒熱性質相對應：在長期的醫療實踐中，古人認為凡能治療熱證的藥物，屬寒性或涼性；能治療寒證的藥物，屬熱性或溫性。

譬如某人出門遇大雨，衣服鞋襪全被雨水淋濕，受涼而發病，手足發涼，面色發白，覺得全身發涼，很不舒服，這就是寒性的病徵。回家後喝上碗薑湯，身上感到暖乎乎，出了一些汗，覺得輕鬆，不再怕冷，病也好了，這就說明生薑是一種溫熱性的藥物。

而某人大便已經幾天不通，腹部有些發脹，自覺煩躁，頭部脹痛，眼睛發紅，多眼眵，口中覺得苦，這些症狀就是經常所說的有火氣，也就是熱性的病證。醫生用了大黃、元明粉之類的藥物，病人服藥後，大便通暢，火氣就清了，頭脹、腹脹、眼紅多眵等症狀就消除了，也說明大黃是一種寒涼性質的藥物。

寒涼與溫熱相對立，而寒與涼、溫與熱則分別具有共同性；溫次於熱，涼次於寒，即在共同性質中又有程度上的差異。另外，還有一種平性，因實際仍有微溫或微涼之偏，故雖有平性之名而不獨成一氣，仍總稱「四氣」。

由於寒與涼、溫與熱之間有程度上的差異，因而用藥時要有一定的界限而不能混同。如當用熱藥而用溫藥，當用寒藥而用涼藥，則病重藥輕，達不到治癒疾病的目的；反之則徒損其陽。至於寒熱錯雜病證，則當寒熱之藥並投，使寒熱之證俱除。若遇真寒假熱當用熱藥治療；真熱假寒證則當以寒藥相投，不可真假混淆。總之，寒涼藥治療陽熱證，溫熱藥治療陰寒證，這是臨床必須遵循的用藥原則，反之則必然導致病情的進一步惡化，甚至引起死亡。

五、是藥三分毒，中藥不例外

（一）兵以除暴、藥以攻疾

時下針對所謂富貴病，諸如高血壓、心血管病、糖尿病、腰椎病等等。派生出了許許多多藥物，有讓老人長壽、兒童長高、牙齒變白、強身補鈣的，林林總總，不計其數。有的乾脆赤裸裸標榜為「送禮藥物」。這些藥物品種花樣翻新，人們稱之為「營養藥」或「補藥」。如果細心的消費者，認真去閱讀那些藥品說明，這些文字就更神了，幾乎無所不補，包治百病，這就實在太不應該。

徐靈胎在《醫學源流論》中說：「好服食（藥）者必生奇疾，猶之好戰勝者必有奇殃。是故兵之設也以除暴，不得已而後興；藥之設也以攻疾，亦不得已而後用。」

俗話說，「是藥三分毒」。這就是說藥品有較強的副作用，其中是有深刻道理的。著名專家曾經預言，在若干年後，將有很大比例的男人喪失生育能力。他的研究認為，藥品氾濫，食品添加劑盛行和化學肥料、農藥是主要原因。

（二）中藥有偏性

就中藥來說，正確的理解應該是有三分以上偏性（即「毒性」）的東西才叫藥。蘿蔔、白菜、大米、黃豆、蘋果、鴨梨等都有偏性，但只有一二分，所以可以當飯菜、當水果天天吃或經常吃，而不是說只要是中藥就有「毒副作用」。譬如中醫認為西瓜是偏性（「毒性」）寒涼的水果，任何人吃西瓜吃多了大便都會不成形，甚至拉稀。所以對脾胃虛寒的人來說，應當慎食或禁食西瓜。但西瓜的偏性（「毒性」）有誰能用肝腎代謝即「第一通過效應」說事兒，而西瓜的偏性（「毒性」）遠低於大黃的偏性（「毒性」）。類似西瓜的，偏性較大的水果，如龍眼，和西瓜一樣，食用就要因人而異，要有節制；後世有人把它入藥，如「歸脾湯」，就因為龍眼的偏性（「毒性」）充其量兩三分而已。

我們舉兩例常用藥來認識使用不當之害。一味是甘草，甘草「最為眾藥之主，經方少有不用者」。七世紀甄權也說它「調和眾藥有功，故有國老之號」。但大量久服卻引起水腫，也應注意。所以古人有「甘草令人壅滯」，「濕盛中滿者忌服」。

另一味就是木瓜。木瓜作用廣泛，目前是盛宴佳餚，中藥說它能祛濕舒筋和胃，治療濕性腳氣，足脛腫痛，或抽筋上沖。木瓜治療轉筋（即腿部抽筋，腓腸肌痙攣），不論何種原因引起均有效。但木瓜屬於酸斂之品，食酸太多，損牙齒，也損骨。《難經》說：「食酸太多，令人癃閉不通」，確是古人實踐的總結。

元代羅天益在《衛生寶鑒》中記載了這樣一個故事：太保劉仲海等人每天食蜜煎木瓜三、五枚，幾個人都得了小便淋瀝之病。請醫於羅天益，羅氏問明原委，瞭解了他們的生活習慣，就說這是過食酸性食物引起，如不再吃酸的東西就會好的，後來果然如此。

中藥「道地」很重要

俗話說得好「門第出身不會也懂三分」，在中醫界有「醫不三世，不服其藥。」說得是一個意思，強調出身。良醫需要好藥，這裏的好藥中醫稱「道地」。

一、道地藥材負盛名

「鄉民種藥是生涯，藥圃都將道地誇。薯蕷籬高牛膝茂，隔岸地黃映菊花。」

清朝懷府河內縣令范照黎的這首詩真實地描繪了古懷慶府人民種植「道地藥材」——四大懷藥的豐收場面。由此可見古代人們就已經很重視知識產權保護，品牌意識很濃，「道地藥材」的提法就是很好的例證。什麼是「道地藥材」呢？「道」是過去行政區劃分單位，唐宋時期比較常用，相當於現在「省」的概念。比如唐朝有劍南道、河北道、關內道等大概十個道。「道地藥材」就是在特定環境和氣候等因素作用下，形成的產地適宜、品種優良、產量高、炮製考究、療效突出、帶有地域性特點的藥材。所以道地藥材的藥名前大都冠以地名，用來表示其道地產區，如川芎、雲木香、廣藿香、浙貝母、秦皮等等。有的甚至形成了品牌效應，如：「四大懷藥」、「浙八味」、河北保定地區的「西陵知母」、四川松潘的「正松貝」、廣東陽春的「蟠龍正春砂」、四川峨嵋的「鳳尾連」等等，都是中藥材中的極品。道地，《辭海》曰：「亦作地道」，所以道地藥材，亦稱「地道藥材」。後來用的多了，道地就成了貨真價實、質優可靠的代名詞了，經常聽到「我是道地的中國人」、「我是道地的山東人」的說法。不過，中藥可以說地道，人最好不用它來形容。

二、道地藥材採靈氣

不要小看了「道地」這個詞，我們從裏面能讀出很多內容：首先，它是一個品質性概念，「道地藥材」代表的是品質優良、功效卓著的藥材；其次，它是一個地理性概念，「道地藥材」是指出於特定產區的中藥材；其三，它是一個歷史性概念，它的形成經歷了歷史漫長的變遷和積累；其四，它是一個種質性概念，種質是影響藥材品質的決定性因素；最後，它還是一個技術性概念，每一種「道地藥材」均有一整套獨具特色的種植、採收和加工技術，有些技術現代人都掌握不了。

中醫歷來重視藥材的品質，因此，不管是中醫處方，或中成藥的製作，都要選購道地藥材。道地藥材成就了很多中醫大家，有時候真不知道是藥好還是醫生好，中醫藥界有「非地道藥材，就沒有中醫」之說，就是這個意思。

「道地」這麼傳神的詞，在歷史上是怎樣提出來的呢？這其實是個漫長的過程，首先在很長的時間裏沒有這個詞，但人們已經有了這種認識。如成書於秦漢以前的《神農本草經》以古國名命名藥材，並有粗略的生存環境含義，是古代樸素的地道藥材生境觀。如：巴豆、蜀椒、秦皮、吳茱萸、阿膠等。巴、蜀、吳、秦、東阿都是西周前後的古國名或古地名，而且每種藥下面都記有山谷、川穀、川澤、池澤、大澤、丘陵、田野、平土等具有粗略的生存環境含義。到了梁代陶弘景所著的《本草經集注》不僅論述了古今地名的異同，而且注重藥材當時的產地分佈，優劣比較以及藥物的形態特徵。唐代藥王孫思邈則特別強調「用藥必依土地」。這些都十分清楚地反應了「道地藥材」的思想。

十分有趣的是真正明確提出「道地藥材」的卻不是醫學著作。元代湯顯祖的著名戲曲劇本《牡丹亭》第三十四出戲，「詗藥」中有「好鋪面！這儒醫二字杜太守贈的。好道地藥材！」的描述。當然文學作品是反映當時社會的，可以肯定的是「道地藥材」在當時已經是很普遍的觀點了。

著名醫藥學家李時珍在繼承傳統醫學家關於「道地」思想的基礎上，對水土的論述尤為深刻：「性從地變，質與物遷，……滄鹵能鹽，阿井能膠，……將行藥勢，獨不擇夫水哉？」「水性之不同如此，陸羽煮茶，辨天下之水性美惡，烹藥者反不知辨此，豈不戾哉」；並能與氣候要素相聯繫：「生產有南北，節氣有早遲，根苗異採收，製造異法度。」說明那時已經能比較科學的認識「道地藥材」了。

由於中藥之中大部分為植物藥，而自然生長環境具有一定的區域性，各地區的土壤、水質、氣候、雨量等自然條件都能影響藥用植物生長、開花、結果等一系列生態過程，特別是土壤成分更能影響中藥內在成分的質和量。《新修本草》說：「離其本土，則質同而效異」。產地不同，同一植物所含有效成分不完全相同，從而使藥理作用有別，臨床療效不穩定。如長白山的野山參，中國東北各省與朝鮮、日本的園參，不但含人參總皂　的量不同，而不同皂　單體的含量也不一樣。道地老山參的特點和現代人參的特點，儘管從化學成分上來看是一樣的，但是藥性卻大不相同，老山參是可以治高熱的。小孩發高燒，可以吃老山參，如果吃現在的種植人參就會加重孩子的疾病。很多事例可以看出藥材道地與否，在藥效、藥性上差別還是很大的。

可見道地藥材不僅源於府、道之地名，還與氣候、環境、人為技術有關，歸納起來，應該具備以下幾個條件。

1、優良的品種

優良品種的特點是品質好、長勢好、抗逆性強、適應性廣、有效成分含量高。

2、適宜的生長環境與採收時間

自古以來，歷代醫藥學家均認為藥材品質與其生態環境密切相關。唐朝孫思邈在《備急千金要方》序例中稱：「古之醫者……用藥必依土地，所以治十得九」。中國地跨寒、溫、熱三帶，地形錯綜複雜，氣候條件多種多樣。不同地區的地形、海拔高度、土壤、氣候、日照、降雨量等條件，形成了不同的道地藥材。有些藥材的在一定範圍內長勢良好，在其他地方長勢差或不能存活，或有效成分含量下降，導致藥效降低等情況。大家對「南橘北枳」的故事都很熟悉，晏子出使楚國，楚王要羞辱他。將兩個犯了偷盜罪的齊國人押至殿前，問晏子說：「怎麼齊國人儘是小偷？」晏子回答說：「我聽說，橘樹生長在淮河以南就結橘子，如果生長在淮河以北，就會結出枳子。橘子和枳子，葉子差不多，但果實的味道卻不一樣。這是為什麼呢？因為水土不同啊」。晏子辛辣的語言道出了一個科學道理：環境對於道地藥材的形成很重要。藥材臨床療效的發揮源於其中活性成分的積累。在藥用植物生長發育過程中，其體內活性成分的含量不是固定不變的，因此在其藥用部位活性成分含量最高時進行採收，是確保藥材品質的重要措施之一。

3、良好的種植(養殖)和加工技術

道地藥材產區都有悠久的栽培(養殖)歷史，當地藥農掌握了豐富的種植(養殖)技術，重視品種的改良、優化，常常形成了一套規範的操作程式，如選種、育苗、移栽、嫁接、剪枝等，在防澇、施肥、防蟲等方面也具有豐富的經驗，這些技術和經驗已成為道地藥材高質高產的重要保證。在產地加工上，同一種藥材以不同的產地加工方法進行加工時，其內部的活性成分含量有著明顯不同．從而對藥材的品質產生影響。由此可見，重視藥材的產地加工，是確保藥材品質和提高臨床療效的重要環節。

三、好山好水出好藥

「道地藥材」的形成，並不是某一時期，某一個人就能命名的，它是我國歷代醫家從用藥的經驗中總結出來的。中醫認為人與天地合為三才，為一個整體，人體之偏可以用天地之偏來糾正，這就是中醫治病的理論根據。地道藥材因為它在特定的地理環境中吸收了天地特有的天地之偏，所以一般認為它的治療效果比非道地藥材好得多。《內經》指出「歲物者，天地之專精也。非司歲物則氣散，質同而異等也。」就是這個意思。

由於中國地域很廣，從北部寒冷的黑龍江到南部四季常青的海南島，從西部的青藏高原到東部沿海都盛產藥材，氣候與地勢十分複雜。而中藥材品種也繁多，且大多是植物、動物類藥材，尤其以植物居多，因此，生長必然受氣候、土壤、陽光、水分、環境等影響。常言說：一方水土養一方人，一方水土生一方草藥，在歷史的變遷中一些地方逐漸顯現出其種植藥材的優勢。

1、三百里懷川出淮藥

河南焦作以生產「四大懷藥」（懷山藥、懷地黃、懷菊花、懷牛膝）著稱。焦作，夏時稱「覃懷」，後稱「懷州」，元稱「懷孟路」，明清為「懷慶府」，北依巍巍太行山，南臨滔滔黃河形似牛犄角的一片平川，世稱「牛角川」，而「懷」貫地名之始終，或許取的就是太行與黃河的懷抱之意。「牛角川」的平原也因之被稱為「三百里懷川」，採擷了黃河上游各個地區不同地質條件的豐富營養，又吸納了太行山岩溶地貌滲透下來的大量微量元素，加上太行山的蔽護，集山之陽與水之陽於一體，土地疏鬆肥沃，排水快捷，雨量充沛，水質奇特，光照充足，氣候溫和。「春不過旱、夏不過熱、秋不過澇、冬不過冷」的氣候環境，最適宜山藥、地黃、牛膝等蓄根類藥材的生長；菊花雖以花瓣入藥，但其生長環境也與懷川的氣候與地理環境相吻合。相傳上古時代，炎帝神農氏在此辨五穀嘗百草，登壇祭天，覓得四樣草根、花蕊，煎水服之，竟愈頑疾。遂令山、地、牛、菊四官護值此地，這四種草藥也因四官而得名「山藥、地黃、牛膝、菊花」，而焦作境內沁陽神農壇風景區的老君窪一帶，至今還保留有「山藥溝」、「地黃坡」、「牛膝川」、「菊花坡」等古地名。

六味地黃丸大多選用道地「懷藥」製作，關於它延年益壽的作用還有一段美麗的傳說：在焦作有一座千年古月山寺。乾隆皇帝登位以後，三次到此朝拜，因為他的母親當年從宮中出來便隱藏在此。他每次來後，都有大臣借機給他獻寶，每次都少不了當地特產的四大懷藥和六味地黃丸。因為療效神奇的四大懷藥和六味地黃丸使乾隆在應付後宮三千粉黛時遊刃有餘，於是便龍顏大悅，撥來鉅款修繕月山寺。

2、山清水秀地生金

山水神秀的浙江天臺山，峰巒重疊、水清木華。地處亞熱帶的獨特氣候環境和海洋沉積層，形成的土壤條件孕育出了豐富的中藥材資源，素有「彌山藥草，滿穀丹材」之稱。其中不乏名貴品種和道地藥材，被稱為天臺雙寶的「天臺烏藥」和「鐵皮石斛」，就是其中的佼佼者。

天臺烏藥歷史悠久，品質超群，享譽中外，是中國的名貴道地藥材和「長生仙草」，素有「長生不老藥」之稱。相傳漢明帝永平五年，剡縣(今新昌、嵊州)劉晨、阮肇人天臺山采藥迷路，遇到兩位仙女，邀回家中款待，結為伉儷。半年後求歸，二女贈以烏藥；回到家中，已曆七代。東晉太元八年，二人又入山，不知所終。歷代本草及現代藥典十分推崇天臺烏藥，明李時珍頌曰：今台州、雷州、衡州皆有之，以出天臺者為最。天臺烏藥也成為中藥烏藥的代名詞，簡稱為天臺烏藥或台烏。

3、無意插柳柳成蔭

唐朝初期，山東阿城鎮上住著一對年輕的夫妻阿銘和阿橋，兩人靠販驢過日子。阿橋分娩後因氣血損耗，身體很虛弱，整日臥病在床，吃了許多補氣補血的良藥不見好轉。阿銘聽老人說驢肉能補。於是，讓夥計宰了一頭小毛驢，誰知煮肉的夥計們嘴饞，把肉都偷吃了。無奈，夥計只好把剩下的驢皮切碎放進鍋裏熬化給女主人吃。這濃濃的驢皮湯冷卻後竟凝固成膠塊，夥計嚐了一塊，倒也可口，於是把這驢皮膠送給阿橋吃。阿橋平時喜吃素食，不曾知道驢肉的味道，嚐了一口，直覺得噴香可口，竟然不幾餐便把一瓦盆驢皮膠全吃光了。幾日後奇蹟就出現了，她食慾大增，氣血充沛，臉色紅潤，有了精神。事隔年餘，那位夥計的妻子也分娩了，產後氣血大衰，身體十分虛弱。夥計忽然想起阿橋吃驢皮膠那回事兒來，於是也用驢皮熬成膠塊給妻子吃。果然不幾日，妻子便膚肌紅潤，大有起色了。自此，驢皮膠大補，是產婦良藥，便在百姓們中間傳揚開了。阿銘阿橋開始雇夥計收購驢皮熬膠出賣，生意十分興隆。其他地方的農戶也相繼熬膠出售，可只有阿城當地熬出的膠才有療效，經過實地探測，發現阿城鎮水井與其他地方水井不同，比一般水井深，水味香甜，水的重量也沉許多。唐王李世民差大將尉遲恭巡視阿城鎮，並將驢皮膠更名為阿膠，召集匠人將阿城井修葺一新，並在井上蓋了一座石亭，亭裏豎立了石碑。至今，碑文「唐朝欽差大臣尉遲恭至此重修阿井」的字樣，仍依稀可見。

四、天南海北蘊藏道地

《神農本草經》序錄中記述：「土地所出，真偽新陳，並各有法。」梁代陶弘景曰：「諸藥所生，皆有境界」；宋寇宗奭《本草衍義》謂：用藥必依土地所宜者，則藥力具，用之有據。」不同地域蘊藏了不同的藥材，現代研究表明，中藥材的化學成分(有效成分)由於產地不同而發生變化，而道地藥材隨產地的變化更為明顯。

（一）東北地區（遼寧、吉林、黑龍江）——關藥

人參、五味子、鹿茸、蛤蟆油、細辛、龍膽、槁本、關白附、平貝母、白鮮皮、威靈仙、車前子、升麻、關黃柏、桔梗等。

（二）華北地區（北京、天津、河北、山西、內蒙古）——北藥、蒙藥

黨參、黃芪、甘草、黃芩、麻黃、甘遂、遠志、香加皮、蒼術、知母、牛黃、白芷、柴胡、肉蓯蓉、土　蟲、天仙子、紫菀、酸棗仁、蓼大青葉、漏蘆等。

（三）西北地方（陝西、甘肅、青海、寧夏、新疆）——北藥、維藥、秦藥

大黃、川貝母、冬蟲夏草、枸杞子、當歸、細辛、秦艽、款冬花、紅芪、沙苑子、銀柴胡、槁本、秦皮、阿魏、羚羊角、馬鹿茸、紫草、鎖陽等。

（四）西南地區（四川、重慶、貴州、雲南、西藏）——川藥、藏藥。

乾姜、大黃、川烏、川木香、杜仲、川貝母、川牛膝、川芎、川楝子、升麻、丹參、巴豆、甘松、龍膽、仙茅、花椒、佛手、羌活、補骨脂、郁金、使君子、金錢草、枳實、厚樸、黃連、黃柏、銀耳、麝香、天冬、天麻、白及、重樓、南沙參、通草、三七、兒茶、木香、木蝴蝶、蘇木、草果、茯苓、雪上一枝蒿、土木香、胡黃連等。

（五）華東地區（上海、山東、江蘇、安徽、浙江、江西、福建）——淮藥、浙藥

北沙參、柏子仁、香附、蔓荊子、三棱、土鼈蟲、太子參、西紅花、地龍、百合、決明子、燈心草、蒼術、明黨參、荊芥、夏枯草、徐長卿、預知子、薄荷、土茯苓、山茱萸、烏藥、白術、白芍、白芷、玄參、延胡索、麥冬、郁金、前胡、浙貝母、木瓜、白頭翁、百部、菊花、連錢草、枳殼、香薷、龍眼肉、澤瀉、厚樸等。

（六）華南地區（廣東、廣西、海南、香港、澳門、臺灣）——廣藥、南藥、海藥

山柰、廣金錢草、藿香、化橘紅、巴戟天、地龍、紅豆蔻、陳皮、胡椒、砂仁、鴉膽子、

高良薑、海馬、檳榔、草豆蔻、八角茴香、山豆根、千年健、肉桂、雞血藤、郁金、羅漢果、鉤藤、蛤蚧等。

（七）華中地區（湖北、湖南、河南）——懷藥

五加皮、獨活、射幹、密蒙花、續斷、山藥、天花粉、牛膝、白附子、地黃、紅花、金銀花、旋覆花、商陸、蔓荊子等。

中醫是寶，救急離不了

一提到中醫，人們總會把它與慢郎中的形象聯繫在一起，實際上這是對中醫的偏見和無知。就像中國文化一樣中醫治療急症經驗的積澱也是厚重的。我國古代在急救方面有許多豐富的經驗，即使從張仲景《金匱要略》一書中的急救方法算起，也已有二千年的歷史了。

中醫傳統急救的方法豐富多樣，其適應證更是遍及臨床各科，幾乎涵蓋了現代急救的全部專案。有些項目不但在過去長期領先於世界，而且至今仍有其獨特的應用價值。簡單地講中醫治療急症就是：歷史悠久，經驗宏富，獨具特色，影響深遠。

一、橫貫古今，出奇制勝

縱觀中醫藥學數千年的發展史，足證中醫藥學的發展，無一不是以危急重症為先導和突破口的。兩千四百年以前春秋戰國時期的秦越人扁鵲救治虢國太子屍厥立地而蘇；文泊瀉死胎應針而殞（用針刺穴位排除死胎效果非常好）；三國時代華陀在麻沸散麻醉下開展腹部外科手術。

《黃帝內經》對中醫來說，就像儒家弟子推崇《論語》、佛教信徒膜拜《大藏經》，它對病情危篤、突然發病的危重急症進行了高度概括，從此奠定了救治危急重症的理論基礎與救治大法。

東漢時代的《傷寒雜病論》一書對中醫救治危急重症起到了承先啟後的作用，開創了中醫救治危急重症的先河。他的作者就是當時的長沙太守張仲景，這位將治病搬上大堂的官醫，不僅使中醫診病從此有了「坐堂」的高雅，更可貴的是他對高熱、厥脫（類似現代人們講的虛脫）、急下症、結胸（急腹症的一種）、痙厥（熱抽風）、中風、出血、急黃（急性或亞急性肝壞死）、暴喘（心源性哮喘）等創造的救治理論，以及他所創用的白虎湯類治陽明高熱，承氣湯類通下陽明腑實、急下存陰，四逆湯類回陽救逆（含有興奮蘇醒之意）等等，歷經千百年實踐迄今仍為中醫救急的主陣容。

據載東漢末年，河南南陽地界，年輕的張仲景隨同郡張伯祖學醫。一天，送來一位唇焦口燥、高熱不退、精神萎靡的病人，張伯祖診斷後認定是「熱邪傷津，體虛而便結」，需用瀉藥幫助解出乾結的大便，可是病人極度虛弱，要用猛烈瀉藥肯定受不了。張伯祖考慮半晌未能決斷，在一旁看著的張仲景，見其師束手無策，便沉思片刻上前一步道：「學生有一法兒！」於是他詳細談了治療此病的方法，取得張伯祖同意後，只見他取來一勺黃澄澄的蜂蜜，放進一隻銅碗裏，一邊用竹筷攪拌，一邊用燈火煎熬，漸漸地把蜂蜜熬成黏稠的團狀，張仲景趁熱把這團蜂蜜捏成細條，然後輕柔地塞進病人的肛門裏。

過了一會，只聽見病人肚子裏咕嚕作響，幾陣輕微的疼痛過後，拉下一大堆腥臭燥結的糞便，病情好了一大半，沒有幾天，由於熱邪隨著糞便排淨，病人完全康復。事後，張伯祖對其學生如此奇妙的治法大加讚賞。張仲景用蜂蜜治便秘，實際上是後世灌腸法的最初創造。

同時代的華佗用蒜醋驅蛔蟲的故事也十分傳奇。一個秋天的晌午，魯南山區刮著陣風，在一條夾著灰砂的小路上，有一輛牛車費勁地行駛著，車上不時傳來病人痛苦的呻吟聲。原來牛車上半躺著一位中年農民，雙手捧著肚子，翻滾不止，顯然，他們是坐車去求醫。

這陣陣的呻吟聲驚動了迎面走來的一代名醫華佗，他上前問清病況後，又為病人作一番詳細的檢查，然後寬慰地對大家說：「不要緊！再往前走幾百步，看到一家店鋪，你們就買上三碗加有蒜泥的米醋，叫病人一口氣喝下去，病就治好。」

他們聽從華佗的囑咐，給病人喝下加有蒜泥的米醋，沒有多久，只聽見病人「嘩啦」一聲，吐出一灘黃綠色苦水和一條白白長長的蛔蟲，腹痛立即停止，病人和伴同的家人都笑顏逐開。華佗蒜醋驅蛔蟲的方法很快傳揚開，一直流傳至今。

晉朝葛洪《肘後備急方》，顧名思義就是實用救急手冊，是中國中醫藥第一部急症專著，這本書收錄了魏晉南北朝時期急症診療理論經驗與方法。大到腸吻合術，小至人工復蘇、放腹水、小夾板固定，各科急症無所不備，最值得注意的該書務實求真「試而後錄」，因此，所載方法方藥頗為珍貴。他記載過世界最早的異物剔除手術：如一小兒不慎吞下魚鉤，醫生便用米仁穿在魚鉤線上，一個一個往裏推，使米仁一粒一粒地推向鉤子處，至鉤處，又複推，然後輕輕拉出，如異物有磁性，則可配用吸鐵石吸出。在抗瘧藥革命中發掘出來的青蒿素，就是從本書「治寒熱諸瘧方第十六」之二「青蒿一握，以水二斤，漬絞取汁，盡服之」的啟示下創制的。許多年後，世界各地的科學家仍在為青蒿素當時未能申請「諾貝爾獎金」而惋惜。

隋朝的巢元方等撰寫的《諸病源候論》，是我國第一部論述病因病理證候學的專著。全書分六十七門，列病候一千七百二十條，其中有關急症的證候分析有三百多條。列六十七種病名診斷中，屬於急症的有十八種，不僅闡明其病因病機，還提示救急方法以及預測預後轉歸，特別是該書許多章節都強調急症的鑒別診斷，如赤疹與白疹，風痱（腦卒中後偏癱）與偏枯（偏癱肢體肌萎縮）、傷寒厥與寒熱厥（過於寒冷與發燒所致的四肢發涼）、黃疸與急黃（普通肝炎和急性肝壞死）、真心痛與心痛（心絞痛和胃痛）、包絡痛、關格（尿毒癥和腸梗阻）、上氣與逆氣、短氣與少氣的鑒別診斷，對當今急症診斷也有重要參考意義。

隋唐時代，四十歲的孫思邈已是名揚四方的醫學家。一天，他正在長安城的寓所小憩，突然外面傳來喧鬧的吵罵聲，一群人簇擁著一個用手遮著右眼的大漢，來到孫思邈面前要求診治眼傷。孫思邈拉開他遮著的右手一看，右眼被人打得像一個熟透的紅桃，裏面鼓鼓囊囊充滿淤血，眼睛根本不能睜開，得趕緊把血腫放掉，可是太近眼珠了，倘使用針挑或小刀割破放血，有戳傷眼珠的危險。

孫思邈開始有些躊躇，略加思索後，突然快步跑出客廳，不一會兒，手裏捏著一個小布包回來，胸有成竹地對那個漢子說：「有辦法了，你躺下吧！」於是他打開布包抓出兩條剛從後院池邊捉來的小蟲，毅然地放在大漢淤血的眼部。周圍觀看的人都異口同聲地驚叫起來：「喔呦！螞蟥！」孫思邈點點頭，全神貫注地看著螞蟥在血腫部位痛快地吸血，果然螞蟥吸血後，身子越來越粗大，大漢眼部的血腫卻越來越小，最後完全癟了下去。孫思邈抓走兩條螞蟥，用清水洗淨患處，敷上消腫藥粉，並且還規勸病人不要再吵架。嗣後，孫思邈螞蟥吸血腫的神奇治法一時盛傳，他的名聲更大了。

它所著述的《千金要方》和《千金翼方》，是中醫急症的再一次經驗總結。書中除列「備急方」二十七首專供急救之用外，所載七百餘首處方，差不多每門中都載有急救名方，如犀角地黃湯、葦莖湯、駐車丸、黃連湯等。該書對急症已按學科分類列病，對急性出血、急性腹痛、暴吐、暴痢、急黃、厥脫等論述已頗詳盡。孫氏還注重總結治療急症的專方專藥，如蜀漆、常山、馬鞭草抗瘧，黃連、乾姜、石榴皮、烏梅等治痢，備急丸（大黃、乾薑、巴豆）專供「寒中客忤，心腹脹滿刺痛、口噤氣急卒死者」（受涼引起的腸痙攣、食物中毒等病）急救之用。

金元四大家對危急重症的救治無論從理論上還是方法上都各樹一幟，把「汗、吐、下、和、溫、清、消、補」的治法發揮的淋漓盡致。劉完素擅治熱病，是後世溫病學的奠基人；張從正主攻邪，對汗、吐、下三法使用頗為純熟，在急救中他常用瓜蒂散（由瓜蒂、赤小豆各等份組成，有湧吐痰食的功用）清除食道、胃腸中的食物和咽喉氣管中的異物、痰誕等，以達到宣通呼吸道、吐出進入胃中的毒物的目的。有一次，他路過古亳（河南省亳縣），遇見一個婦女，嬉笑不止，已有半年。請過好多醫生治療，總不見效。張從正診病後，令人把約二兩重的一塊滄鹽，在火上燒紅，放冷後研成細末，另取河水一大碗煎鹽，三五沸後，離火放溫，分三次飲下。飲後用釵（古代婦女插在頭上的金屬裝飾品）向喉嚨探吐，結果吐出熱痰約五大盞。又給予大劑量黃連解毒湯。幾天以後就不再笑了。

劉、張兩家為解決當時構成人群死亡主因的生物源性感染為主的危急重症立下了汗馬功勞；朱丹溪雖主養陰，但非常重視氣與痰在發病學上的重要地位，創滋陰降火，清熱豁痰，熄風開竅諸法以救急；李東垣處於戰後修整時期，獨創「甘溫除熱法」善後調理，亦是促進危急重症早日康復必不可少的措施，所謂「甘溫除熱」就是說用補脾胃的藥解除發熱的感覺或降體溫的方法；朱、李二氏對非生物源性的內傷所致急危重症的救治開闢了新的理論與途徑。這些內容使中醫救治危急重症，從理論到方法上均耳目一新，推動了中醫學的又一次發展與創新。

眾所周知，中國古代長期危害人類健康最嚴重的是生物源性「熱病」。明末清初，由於戰亂不斷人口流動較大，促發了傳染病的流行，中醫學的有識之士便集中在攻克熱病的領域內。明•吳又可《溫疫論》創立多種戾氣發病學說，主張「急症急攻」，為中醫治療急性傳染病、流行病開創了新篇。特別值得指出的是清代以葉天士、吳鞠通、王孟英、薛生白等為代表的溫病學派的形成與發展，又一次大大提高了中醫救治危、急重症的理論與水準，也大大促進了中醫學的發展。他們創制的溫熱病一系列救治法則：如透疹、清氣、和解、化濁、通下、清營、涼血、清熱解毒、開竅、熄風、生津、滋陰、回陽固脫、活血通絡等等，還創造了一系列高效、安全、重複性高的著名處方，為中醫學的發展與創新作出了巨大的貢獻。唐容川、王清任是救治血證之大家，唐氏針對出血創立了止血、消瘀、寧血、補血四步調治大法，王氏創制的活血化淤方劑一直為後人推崇。

二、針、藥、熨、刮，辦法多多

翻開中醫古籍，走進百姓生活，中醫救急方法門類繁多，不可勝數，有的雖然難登大雅之堂，但效果立竿見影。綜合臨床常用的方法，大致可分內治法、外治法、針灸療法。

（一）文質彬彬內治法

中醫對危急重症的救治，碩果累累，頗為輝煌，內治就是以服藥為主的治法。印象最深的病例是一位肝硬化大出血的病人，夜晚突然犯病，嘔血不止，情急之下服用了事前備好的獨參湯（老山參），居然止住了血。事後求診，還向大夫自誇說這叫「有形之血不能速生，無形之氣所當急固。」粗讀了點醫書，倒是學以致用。

有人說大黃黃連瀉心湯是人體上部出血的特效止血劑。《金匱要略》說本方治療「心氣不定，吐血，衄血」。清代名醫陳修園說：「余治吐血，諸藥不止者，用《金匱》瀉心湯百試百效」。本方可用於吐血、衄血、咯血及顱內出血（包括腦出血、蛛網膜下腔出血等出血性中風和腦外傷造成的顱內出血）。分析下這首方的組成，黃芩黃連是瀉心湯的方根，黃芩用於充血性出血，大黃能引血下行，使人體下部充血，調整體內血流的異常分佈。大黃還含有鞣質，具有收斂作用，也有很強的局部止血作用。大黃的止血作用也得到了歷代名醫的驗證。如孫思邈《千金方》記載吐血百治不愈，療十十瘥，神驗不傳方：大黃粉用生地黃汁呑服治療嘔血。用藥關鍵是「以利為度」。明代龔廷賢用將軍丸，即單味大黃酒拌，經九蒸九曬為末，水泛為丸，說「治吐血不止如神」。張錫純有秘紅丹一方，用大黃、肉桂研粉等分，用代赭石湯送下，用於吐血、衄血屢服他藥不效者，無論因涼因熱服之皆效。

我們用瀉心湯治療肺病咳血和胃病嘔血患者，原方量不變（大黃六克，黃連三克、黃芩三克）弄碎沸水沖泡十五~二十分鐘，代茶飲，效果非常滿意。正是「一首瀉心湯，勝過垂體後葉素」。

另外像清營湯、犀角地黃湯退高熱。羚角鉤藤湯抗驚厥。鎮肝熄風湯降血壓治中風。安宮牛黃丸、紫雪丹、局方至寶丹、蘇合香丸、紫金錠、大小定風珠、三甲複脈湯醒腦開竅。神犀丹、時疫救急丹、玉樞丹、行軍散、清瘟敗毒飲解毒醒神，抗感染、抗休克。四逆湯、參附湯、生脈散救厥脫。承氣類方通下治急腹症。參蘇四磨飲、血府逐瘀湯等活血化瘀、舒髒通腑，防臟器組織的纖維化。人丹、十滴水防治中暑。甘草綠豆防風湯解藥毒。尤其是三寶（安宮牛黃丸、紫雪丹、局方至寶丹）治療高燒日久不退伴譫語者，往往藥到病除，因此蜚聲國內外。

（二）風風火火屬外治

自古以來，中醫對危重急症的治療，並非內治一端，通常是綜合救治，其中外治急救療法因快捷有效，備受重視。像華佗為關公刮骨療毒、張仲景的蜜煎導法治療急重危症津枯便秘及外貼、外摩、外洗、外熏、外滴、外塞、外吹等等外治法簡便效廉。

傳統上的許多外治急救法至今仍在生活中運用，例如以生半夏或牙皂、皂莢末少許吹入鼻中取嚏有醒腦通竅之功；皂莢、地龍、蟑螂搗爛敷臍用於昏迷；青蛙、冰片、雄黃敷臍退高熱；醋調大黃末外敷湧泉穴止吐血；鮮地龍、麝香敷臍緩解抽搐止驚風；白芥子、細辛、元胡素、甘遂研細末，姜汁調成糊狀敷定喘、肺俞、膏肓穴平喘息。還有萊菔子粉填臍外蓋麝香回陽膏治療術後腹脹；蔥白、頭髮、橘葉、皂莢等共搗敷臍治療小兒麻痹性腸梗阻。田螺、蔥白、牙皂、冰片、雞蛋清調勻敷臍治癃閉。白芷、靈脂、蒲黃、食鹽研末填臍以艾隔薑片灸神闕穴治痛經；醋調大蒜，逍遙丸敷湧泉穴治經行吐衄。大黃、牡蠣、蒲公英煎水保留灌腸或生附片、川芎、沉香、冰片研末外敷腎俞穴及關元穴治療腎衰。生南星、生附子、生川烏、五靈脂、麝香、冰片、穿山甲等為細末、醋水調成糊狀外敷阿是穴止癌痛。華茇、細辛、檀香、冰片、良薑製成氣霧劑，噴霧吸入救治心絞痛，中草藥製劑外治燒傷、刀傷、骨折外傷等都有獨特的顯著療效。

（三）五花八門的針灸療法

說起針灸治療危急重症，實際上它源於《內經》。一般針刺原則如《靈樞・九針十二原》說「今夫五臟之有疾也，譬猶刺也，猶汙也，猶結也，猶閉也。刺雖久，猶可拔也；汙雖久，猶可雪也；結雖久，猶可解也；閉雖久，猶可決也……夫善用針者，取其疾也，猶拔刺也，猶雪汙出，猶解結也，猶決閉也。」古往今來，代代均有發展，迄今為止，不僅有系統的理論基礎，而且有系統的經絡經穴、配方主治。古代針灸學對急症的認識，以經絡學說為根據，突出強調經絡、經筋受邪，以及經絡氣血運行失常和臟腑經絡相關學說，它在危急重症救治中佔有重要地位。

針刺是最快捷的治療方法：針刺人中、湧泉穴是救急復蘇抗休克的佳法。刺十宣、委中放血，或針大椎、合谷、少商、尺澤可退高熱。針合谷、內關，溫灸神闕、足三裏有很好的止痛止嘔的效果。燒山火之法溫通回陽；透天涼之技泄熱解毒。燈火點蘸印堂、大椎而止痙。針水溝、太沖、間使、湧泉、豐隆可啟閉；灸神闕、氣海、關元而固脫。針刺雙側內關治療急性心肌梗死。點刺大椎、風門、肺俞救呼吸衰竭。取膀胱俞、中極、三陰交為主穴，虛則補之，實則瀉之治癃閉（尿瀦留）。針心俞、內關、神門、足三裏平心悸。取曲池、風池、內關、三陰關、氣海降血壓。推拿針刺心俞、膻中、內關、巨闕、厥陰俞治療厥心痛。中等刺激足三裏、內關、中脘治嘔吐。溫針三陰交、至陰可增加宮縮而助產等等，這些方法都是歷代醫家的可貴經驗和行之有效的佳法。為了便於使用和掌握，古代醫家把常用的穴位和治法編成歌訣以備用。例如十總穴歌：肚腹三裏留，腰背委中求；頭項尋列缺，面口合穀收；心胸內關穴，脅肋找支溝；肝膽陽陵泉，小腹三陰謀；安胎公孫找，阿是不可缺。

熨、灸治療急症更廣泛：所謂灸法，是指應用高溫(主要是艾藥或其他物質燃燒後產生的溫熱)或低溫，或者以某些材料(對皮膚有刺激作用的藥物或其他物質)直接接觸皮膚表面後產生的刺激，作用於人體的穴位或特定部位，從而達到預防或治療疾病的一種療法。《黃帝內經》

曰：「針所不為，灸之所宜」。《扁鵲心書》曰：「保命之法，灼艾第一」。這兩句話一方面表明灸法有特殊療效，針刺灸法各有所長，灸法有自己的適應範圍；另一方面，灸法還可補針藥之不足，凡針藥無效時，改用灸法往往能收到較為滿意的效果。

古人通過對灸法適應病證的長期大量的臨床觀察，表明灸法不僅能治療體表的病證，也可治療臟腑的病證；既可治療多種慢性病證，又能救治一些急重危症；主要用於各種虛寒證的治療，也可治療某些實熱證。其應用範圍，涉及臨床各科，大致包括外感表證、咳嗽痰喘、咯血衄血、脾胃虛證、氣滯積聚、風寒濕痹。上盛下虛、厥逆脫證、婦兒諸疾、頑癬瘡瘍、瘰鬁腫毒等。因使用方便，用灸法治療急症很受醫家和百姓的推崇。

從灸法的操作特點來看，灸法可以稱得上是「熱療、灸療、藥療」三效合一的創新醫學。在臨床上，我們根據施術的部位、操作方法、所發揮的作用等進行分類，灸法大約有上百種。包括直接灸和隔物灸。直接灸有齊灸、排灸、溫和灸、迴旋灸、雀啄灸；艾條壓灸法也是直接灸，如指灸、襯墊灸、灸筆灸、雷火針灸、太乙針灸、運動按灸。隔物灸有艾條隔物懸灸，如隔布灸、隔藥紗灸、隔膏藥灸、隔藥液灸、隔藥糊灸等。熨灸方法雖多，但主要作用不外散風活血、回陽益氣；移深就淺，引邪外出；引火化氣，通調三焦；下氣降逆，瀉火防沖。許多內容值得進一步研究總結。

刮痧放血是補充：刮痧療法就是利用一定的工具，如牛角刮板、銅錢銀元、木梳背等，蘸上水和香油、潤滑劑之類，在人體某一部位的皮膚上進行反復刮動、摩擦，使皮膚充血發紅，呈現出一塊塊或一片片紫紅色的斑點為止，從而達到防治疾病的目的。明清時期不少醫家將疫癘所致發病暴急、變化疾速的病症統歸為「痧症」。並對痧症的急救，總結了許多方法，其中以刮痧和放血為主。認為：痧在肌膚者刮之而愈，痧在血肉者，放之而愈，此二者該痧之淺者。若乎痧之深重者，非藥物不能救醒，則刮放之外，又必用藥以濟之。」由於刮痧療法簡便安全，隨時隨地可以使用，並且幾乎無副作用，所以在民間很快推廣開來。如今越來越受到醫藥科技工作者的重視。

最值得稱道的是清代吳師機，十分重視外治法對急症的治療。他在總結前人經驗的基礎上，大膽創新與發揮，把藥物外治法推向一個嶄新的階段。他說：「仲景傷寒論有火熏令其汗，冰水噀之，菖蒲納鼻，豬膽汁蜜煎導法」。「後賢於痞氣結胸，又有罨法、熨法。」吳氏外治以膏為主。他總結歷代流傳的一百二十多個外治方，廣泛收羅敷、熨、熏、浸、洗、罨、擦、坐、嚏、縛、刮痧、火罐、推拿、按摩、醋療、發泡等十多種用於治療急症。對於外治的機理與藥物選用，吳氏認為外治與內治辨證用藥是統一的。他說：「外治之理即內治之理；外治之藥即內治之藥，醫理藥理無二。」吳氏用外治法為主治急症，門庭若市，治必得效，為我們留下一份珍貴的遺產。

三、辨證論治與綜合治療仍是根本

搶救生命是一個系統工程，需要嫺熟的技術和鎮靜自若心態，堅持救命、救急、復原、固本的原則，辨證論治採取綜合措施。

虢太子的「屍厥」證，在扁鵲的主持下，治療有條不紊，措施環環入扣，他「乃使弟子子陽，厲針砥石，以取外三陽五會」，把病人從昏迷中搶救過來。然後「乃使弟子子豹為五分之熨，更以八減之齊和煮之，以更熨兩脅下」，為病人進行保溫治療，促使病人很快恢復到能夠自己「起坐」。再「服湯二旬」，以「更適陰陽」，使病人恢復健康。扁鵲和弟子子陽、子豹等，綜合應用多種療法，成為中國醫學史上進行辨證論治和施行全身綜合治療的奠基人。

《金匱要略》一書中曾介紹搶救上吊窒息的人工呼吸法。方法是：將上吊者緩緩抱解，不得為急於解救而截斷繩子，以防止顛僕撞擊。然後蓋被保溫，並即採用「以手按據胸上，數動之」的人工呼吸，並配合屈伸四肢等方法。整個過程要求堅持不懈，直至自縊者蘇醒。等其稍有氣息，即灌服有興奮呼吸作用的桂湯，以加速療效。這一方法至今仍在窮鄉僻壤應用，經得起歷史的檢驗。《金匱要略》約成書於西元二一九年，比虎克的動物人工呼吸實驗還早一千四百多年。而國外應用人工呼吸於人體急救的最早記錄是一八九七年。

可見，中醫急救醫術最主要的法寶就是「辨證論治」與藥物對症，只要辨證準確、藥物對症，就能顯出神奇的效果。並不寄託於什麼神丹妙藥，即使應用普通平淡藥物也能收到神效。如今「急救」之所以成為西醫的「專利」，主要是中醫丟了「辨證論治」這個法寶。「辨證論治」丟了，藥物又如何能與症對？如今中醫被改造，而一般青年醫生，認為西醫吃得開，又容易學，所以在臨床時，就喜歡用西藥不用中藥，自然也就成了「中不中、西不西」的中醫了。

要這樣的中醫進行急救，談何容易！

大量的臨床資料表明，中醫藥學在危急重症的搶救中大有可為，中醫救急法承前啟後，開拓創新，獨具特色，有著不可替代的作用。中醫對於高熱、昏迷、驚厥、暴痛、大出血、感染性休克、多臟器功能衰竭等諸般危急重症，有著非常豐富而有效的救急措施。

一言堂